D1351302

Ontwerp:	B'@RT
	grafischebom@gmail.com
Binnenwerk:	Bert van Gorkum & Hester Buwalda
Omslagfoto:	Marcel de Kroon
Drukwerk:	Drukkerij Hooiberg Haasbeek, Meppel
Website:	www.hettyluiten.nl

ISBN 978-90-8660-094-6

© 2009 Uitgeverij Ellessy
Postbus 30227
6803 AE Arnhem
www.ellessy.nl

Hetty Luiten

Op eigen benen

familieroman

- 1 -

Loet Barends was zo geconcentreerd bezig de post te bestuderen die hij net op de mat bij de voordeur gevonden had, dat hij zich werkelijk te pletter schrok van de telefoon die vlak naast hem begon te rinkelen. De koffie, waarvan hij juist een slok wilde nemen, klotste over de rand van het kopje. Dikke druppels vielen op de brief en kleine spatjes kwamen terecht op de bijgevoegde foto's.

Haastig zette hij het kopje op het schoteltje en haalde zijn schone, maar ongestreken zakdoek uit zijn broekzak en depte daarmee eerst de foto's, daarna de brief. Geïrriteerd bekeek hij de schade, stak zijn hand uit naar de telefoon en vroeg zich af of hij die koffie ooit weer uit de witte zakdoek kreeg. 'Barends,' zei hij vrij nors in de telefoon.

'Hoi, pap, ben je thuis?'

De ergernis over deze plotselinge storing en vooral de vlekken op de foto's deden hem brommen: 'Natuurlijk niet. Ik zit heerlijk in de stad op een terras van de zon en een glas bier te genieten.'

'Nu al?' riep zijn dochter Alicia uit.

Hij kon horen dat ze haar wenkbrauwen hoog optrok.

'Het is amper halfelf, pap! Dan hoor je koffie te drinken, geen bier. Moet ik me zorgen gaan maken?'

Hij vond de reactie zo grappig, dat hij vergat dat hij geïrriteerd geraakt was. Hij lachte en zei: 'Ik denk eerder dat ík me zorgen moet maken. Om jou!'

'Hoezo dat dan?'

'Hoe kan ik op een terras zitten als je me thuis belt?'

Even viel het volkomen stil aan de andere kant van de lijn. Loet vouwde glimlachend zijn zakdoek op, maar bedacht zich. Hij kon hem beter meteen onder de hete kraan houden. Als het gesprek afgelopen was.

'Nou ja, ik dacht er even niet bij na,' zei ze schuldbewust. 'Iedereen heeft toch een mobiele telefoon tegenwoordig. Dat jij daar niet aan wilt, kan ik toch niets aan doen.'

'Nee, natuurlijk kun jij daar niets aan doen, maar je belt naar een vast nummer, dame. Wat is er?'

'Ik zit met een probleempje. Kan ik even langskomen om het te bespreken?'

'Wanneer?'

'Nu, natuurlijk,' riep Alicia duidelijk geërgerd. 'Ik zit er nu mee en heb nu behoefte om erover te praten.'

'Oké, ik zal koffie bijzetten.' Loet legde de hoorn op het toestel en stond op. Opeens had hij haast. Hij griste de brief en de foto's bij elkaar, stopte ze terug in de grote envelop en keek zoekend om zich heen. Waar kon hij ze zo snel verbergen dat Alicia ze niet meteen vond? Boven was waarschijnlijk de beste optie. Daar kwam ze nooit, maar had hij daar nog tijd voor? Ze woonde drie huizen verderop en via de tuin kostte het haar niet meer dan een minuut om bij hem te zijn. Toch rende hij de trap op. Hij wilde de inhoud van de envelop nog even voor zichzelf houden. Eerst rustig overdenken, dan beslissen. Pas daarna zou hij het eventueel aan zijn twee dochters vertellen. Wat al moeilijk genoeg zou zijn, want hij vermoedde dat Alicia het absoluut niet goed zou vinden, terwijl haar zus Liselotte waarschijnlijk een gat in de lucht zou springen.

'Pap? Waar ben je?' Ze was er nog voor hij de envelop onder in zijn klerenkast gelegd had. Nog een geluk trouwens dat ze eerst belde en niet zomaar bij hem in huis had gestaan. Dan had hij natuurlijk moeten uitleggen wat hij zat te bekijken en waren de poppen al aan het dansen geweest voordat hij een beslissing genomen had.

'Boven!' riep hij. 'Ik kom eraan.' Hij pakte een schone zakdoek en liep de trap weer af.

'Wat moest je nou boven? Je zou koffie bijzetten.'

'Goedemorgen, Alicia,' zei hij overdreven vriendelijk.

'Ja, ook goedemorgen. Nou, waarom heb je nog geen koffie gezet?'

'Ik had een schone zakdoek nodig,' zei Loet terwijl hij hem in zijn broekzak stopte.

'Ben je ziek? Verkouden?' Ze keek ongerust.

'Nee, ik had koffie geknoeid en dat heb ik met mijn zakdoek schoongemaakt.'

'Maar zoiets doe je toch niet? Daar moet je een vaatdoek voor gebruiken,' vond Alicia.

'Dat bedacht ik te laat.'

'Waar is die zakdoek nu? Gaat dat er ooit nog uit? Pap, dat gaat zo niet.' Ze keek hem nu nog bezorgder aan.

Loet zuchtte, nu wel hoorbaar. 'Wat gaat niet?' Hij liep op het koffiezetapparaat af en begon verse koffie te zetten.

'Je kunt niet alleen zijn. Je moet maar bij ons in komen wonen.'

Met een schok draaide Loet zich om en keek haar aan. Ze leek te menen wat ze zei, maar hoe kwam ze op het idee? Oké, ze was zijn dochter, maar om bij haar in te trekken? Samen onder één dak? En waarom? 'Hoezo kan ik niet alleen wonen? Alicia, wat is er?'

Ze liet zich op een stoel bij de tafel vallen en keek naar zijn koffiekopje. Ze tilde het op en zag dat er koffie op het schoteltje lag. 'Je knoeit, je maakt het schoon met je zakdoek. Pap, dat zijn ongezonde dingen. Ik maak me zorgen. Straks laat je het gas ook nog branden en gaat het echt mis.'

Nu schoot hij in de lach. 'Meisje, meisje, toch, wat kun jij rare dingen denken.' Hij had geen zin om uit te leggen dat hij van de rinkelende telefoon geschrokken was. Iets wat ieder mens weleens overkwam. Alleen hadden ze dan meestal niet net een kop koffie in de handen. En als hij eerst opgestaan was om de vaatdoek te pakken, waren de foto's vast nog meer beschadigd geraakt. Hij pakte zijn kop-en-schotel op en liep ermee naar de open keuken, dronk het kopje leeg, spoelde kop-en-schotel af, greep de theedoek, droogde alles af en zette het naast het koffiezetapparaat.

Nu pas begreep hij waarom ze dat gezegd had. Ze miste haar moeder en als hij bij hen inwoonde, had ze misschien toch een stukje van haar dichtbij. Hij begreep ook waarom ze zich zorgen maakte. Als hij ook zou sterven ... 'Suiker en melk, hè?'

'Ja, pap. Dat zou je inmiddels moeten weten.'

'Ik weet het toch!'

'Nee, je vraagt het.'

'Alicia!' riep hij geërgerd uit, maar zweeg verder. Hij schonk koffie voor hen beiden in, zette de kopjes op tafel, pakte een koektrommel uit de kast en zette die erbij.

Hij ging tegenover haar zitten. 'Je had een probleem,' zei hij afwachtend.

Ze knikte, trok de trommel naar zich toe en haalde het deksel eraf. 'Wie koopt er nou dikke speculaas midden in de zomer?' riep ze hoofdschuddend uit.

'Punt 1 is het nog maar amper voorjaar en punt 2: ik! Ik vind dikke speculaas heerlijk en omdat ik zelf de boodschappen doe, koop ik wat ik lekker vind.'

'Dat snap ik wel, pap, maar speculaas hoor je alleen in de winter te kopen.'

'Aha, nog een punt van zorg dus voor jou. Ik kan zelfs niet alleen boodschappen doen!'

Ze keek hem onderzoekend aan. Zat hij haar te plagen of meende hij het?

'Alicia, wat is er?'

Ze haalde haar schouders op. 'Ach,' zei ze aarzelend. 'Ik had behoefte om even te praten en omdat mamma ...'

Ze kon de woorden duidelijk niet uit haar mond krijgen, maar Loet wist natuurlijk precies wat ze bedoelde. Omdat mamma er niet meer was ... Hij wist hoe ontzettend ze aan haar moeder gehangen had en hoe vreselijk moeilijk ze het had sinds haar moeder een jaar geleden overleden was. De trekken op zijn gezicht verzachtten. 'Vertel het nou maar,' zei hij vriendelijk.

'Je weet waarschijnlijk toch niet wat je moet zeggen.' Ze roerde omslachtig in haar kopje. 'Mannen weten zelden een goed advies te geven.'

Loet hield zijn zucht binnen. 'Kom op, meid. Een beetje vertrouwen in je vader moet je toch hebben. In elk geval heb ik met mijn zestig jaar genoeg levenservaring om toch ergens een advies over te kunnen geven.'

'Het gaat om Robbie. Hij wordt zo ondeugend dat ik soms gewoon niet weet hoe ik hem aan moet pakken.'

'Robbie!' Loets ogen begonnen te glimmen. Robbie was zijn jongste kleinkind, vorige week vier jaar geworden en inderdaad een heel ondernemend joch. Hij stond ook vaak genoeg zomaar in Loets tuin, met zijn neusje tegen het raam gedrukt naar binnen te kijken. Terwijl het hem verboden was zijn eigen tuin in zijn eentje te verlaten. Loet stuurde hem altijd terug, omdat hij de regels van Alicia kende, maar telkens met een lach op zijn gezicht. Hij mocht dat jongetje wel! Vond het vanbinnen zelfs leuk dat Robbie zijn eigen gang ging en initiatieven vertoonde. Zo heel anders dan zijn moeder. 'Alicia,' zei hij aarzelend, 'dit is iets wat je met André moet bespreken. Hij is je man en jullie moeten je kinderen samen opvoeden.'

'Ja, André!' riep ze uit. 'Dat is het hem nou juist. André vindt het alleen maar leuk wat Robbie doet! Van hem hoef ik geen steun te verwachten! Vanmorgen, voor ik Robbie naar school bracht, pakte hij de kruk uit de gang en zette die bij het aanrecht. Ik kon nog net voorkomen dat hij erop zou klauteren. Zulke dingen zijn levensgevaarlijk! Maar André lachte erom. Die vond het leuk dat hij op zijn eigen manier probeerde bij de snoeptrommel te komen. Mannen!' verzuchtte ze.

Loet glimlachte om het laatste woord, maar zijn gezicht betrok toen hij de volgende woorden hoorde.

'Mamma had wel raad geweten. Mamma wist altijd precies wat ik moest doen of laten.'

Hij knikte bedachtzaam. Ja, Paula had altijd raad geweten. Veel te vaak zelfs. Het was hun hele huwelijk door een probleem geweest, de relatie tussen zijn vrouw en hun jongste dochter. Hij had zich daar voortdurend zorgen over gemaakt en die zorgen waren alleen maar toegenomen, sinds Paula er niet meer was. Natuurlijk was het geweldig dat moeder en dochter een hechte band gehad hadden. Dat vond ook hij alleen maar fijn. Maar hun band was zo hecht geweest, dat Alicia zelfs nu nog bijna niets zelfstandig kon doen. Ondanks dat Paula dood was, kon ze zonder haar raadgevingen niet leven. Door die band had Alicia nooit geleerd op eigen benen te staan. 'Ik weet één woord,' zei hij. 'Dat is: consequent. Je moet altijd consequent zijn. Nee is nee en daar moet je je aan houden. Ik geloof niet echt dat Robbie ondeugend is. Hij is ondernemend, probeert jou uit, wil onderzoeken, zijn grenzen verleggen. Dat is heel gezond. Maar jij moet consequent zijn, dan leert hij waar hij aan toe is. En verder moet je dit soort dingen echt met André overleggen. Jullie moeten immers samen één lijn trekken in de opvoeding. Je mag hier altijd komen praten, maar dit moet je echt met hem bespreken.'

Eén lijn ... Hij hoorde de woorden echoën in zijn hoofd. Die hadden Paula en hij juist niet getrokken waar het Alicia betrof. Zij had haar altijd verwend, terwijl hij daarop tegen was. Consequent was Paula ook nooit geweest ten opzichte van Alicia. Altijd de hand boven het hoofd, altijd vergoelijkend, altijd gesust, klaargestaan.

'Zie je,' hoorde hij zijn jongste dochter nu zeggen, 'ik wist wel dat ik er met jou niet over praten kon. Je begrijpt het gewoon niet.

Ik bedoel: wat moest ik doen toen hij die kruk had opgehaald? Mopperen? Hem naar zijn kamer sturen? Een pak slaag geven? Daar gaat het om. Hoe ga ik ermee om?'

'Wat zei André?'

'Die lachte,' zei ik toch. 'Dus probeert Robbie het straks weer. Die vindt het wel leuk als zijn vader lacht.'

'Oké, dat kan dus niet. Je hebt gelijk. Zo'n klein joch op een kruk is gevaarlijk. Dat moet zelfs André inzien. Maar je zult toch echt met hém moeten overleggen hoe jullie op zulke dingen reageren. Het is jullie kind. Ik ben maar de opa.'

'Juist, dat wilde ik ook nog vragen,' zei ze, terwijl ze met haar lege kopje speelde en Loet aankeek op een manier die hem dwong op te staan om nogmaals koffie voor haar in te schenken. 'Het is vandaag woensdag en dan zijn de kinderen 's middags altijd vrij. Maar ik moet een uurtje weg. Ik heb een sollicitatiegesprek. Kunnen ze dan even bij jou zijn?'

'Een sollicitatiegesprek?' vroeg Loet verrast. 'Hoezo? Zoek je ander werk? Ik dacht dat je juist zo blij was met wat je nu doet.'

'Dat wel,' zei Alicia en ze zette haar kopje op tafel, 'maar ik wil graag meer gaan werken en dat kan daar niet.'

'Meer?' reageerde hij verrast. Dat was natuurlijk een prima idee. Daar werd ze zelfstandiger van.

'Ja, drie kinderen is duur. We hebben gewoon wat meer geld nodig en als jij nou twee middagen in de week oppast, kan dat best.'

'Twee middagen in de week?' Hij keek geschrokken, maar draaide snel zijn hoofd af, zodat ze het niet zag. Hij kwam overeind, pakte de lege kopjes en schonk koffie in. Hij wist dat hij nu toegaf aan haar dwingende blik, maar hij wilde niet dat ze zijn gezicht kon zien.

Achter zijn rug ging ze verder met praten. 'Ja, Andrés ouders passen al twee dagen op, dus die kan ik niet nog meer belasten en het is

maar van drie tot halfzes. Je moet ze dan uit school halen en als André en ik thuiskomen, dan halen we ze meteen weer op. Goed?'
'Nee,' zei hij tot zijn eigen verrassing heel pertinent, al was hij ook verrast dat zij dit al besloten leek te hebben. Ze nam zelden in haar eentje beslissingen en dit leek al geregeld. Althans in haar hoofd. Positief, dat zeker, maar niet waar hij op zat te wachten.
'Nee?' Ze keek hem met grote ogen aan. 'Waarom niet? Je hebt toch niets te doen!'
Hij glimlachte. 'Net vond je nog dat ik niet meer alleen kon wonen omdat ik rare dingen doe en nu wil je zelfs dat ik op je kinderen pas. Maar dat "niets te doen", dat klopt wel een beetje en daarom was ik juist van plan daar verandering in aan te brengen. Ze kunnen vanmiddag komen en ze mogen met alle plezier vaker komen, maar niet op twee vaste dagen in de week.'
'Hoezo? Wat bedoel je met verandering? Je zit alle dagen thuis! En wij hebben het geld nodig!'
Zijn gedachten vlogen naar de envelop die hij onder in zijn kledingkast verborgen had. Die kon hij dan ook wel verscheuren als hij nu ja zei. 'Ik heb vakantieplannen en omdat ik kan kiezen, kies ik niet voor hartje zomer, maar voor over een maand of zo. Dan kan ik niet op jouw kinderen passen. En misschien wil ik nog wel veel vaker op vakantie.'
'Vakantie? Pap!' Ze keek hem totaal overrompeld aan. Alsof het nooit in haar opgekomen was dat hij weer wat zou kunnen gaan ondernemen na de dood van zijn vrouw.
'Ja, vakantie. Ik heb zin om een andere omgeving te zien, ergens anders te zijn.'
'Maar hoe? Met wie? Pap, dat kan toch niet?'
Hij stak zijn hand uit naar de koektrommel, zocht het grootste stuk speculaas uit en legde het op zijn schoteltje. Als ze vakantie al onoverkomelijk vond, hoe moest ze dan ooit accepteren dat hij ...'

'Pap, als je per se op vakantie wilt, kun je van de zomer wel met ons mee.'

Hij schudde zijn hoofd. 'Nee, ik wil alleen op vakantie. Althans zonder familie. Ik wil even weg van alles.'

'Weg van alles? Zijn we je te veel?' Ze stond op van tafel en keek hem met gemengde gevoelens aan.

Hij las verontwaardiging op haar gezicht, maar ook vertwijfeling. En hij wist dat zijn zorgen om haar al die jaren niet ongegrond waren geweest.

'Pap, we moeten het hier nog maar eens met zijn drieën over hebben. Ik zal Liselotte eens bellen. Goed? De kinderen komen om halfdrie.' Ze draaide zich om en verliet zijn huis via de achterdeur.

Hij keek haar fronsend na. Dit kon zo niet doorgaan! Natuurlijk had hij er alle begrip voor dat ze Paula miste. Vooral omdat die twee altijd twee handen op een buik geweest waren. Dagelijks gingen ze met elkaar om. Ook toen Alicia trouwde met André bleef hun contact intens. Moeilijk was dat ook niet natuurlijk, omdat ze vlak bij hen in de straat kwamen wonen. Maar Alicia deed niets zonder overleg met haar moeder en bij alles wilde ze raad, die Paula ook royaal gaf. Tijdens de zwangerschappen van Alicia was het contact nog hechter geweest en Loet wist dat André zich soms het vijfde rad aan de wagen had gevoeld, terwijl hij nota bene vader werd.

En vanaf de geboorte waren de kinderen al bij hen thuis over de vloer gekomen. Alles had Paula weer van zolder gehaald. De wieg, de kinderstoel, de box. De box stond zelfs alle dagen in de kamer. Alsof ze zelf weer een klein kind hadden gekregen. Loet had zich daar weleens over geërgerd. Niet dat hij iets tegen zijn kleinkinderen had. Integendeel zelfs, hij was er trots op dat hij opa was geworden, maar soms leek het alsof ze bij hen inwoonden en dat werd hem weleens te veel.

Op de dag dat de dokter zei dat Paula darmkanker had en dat

haar hele lichaam al vol uitzaaiingen zat, veranderde alles. Haar vermoeidheid had opeens een naam gekregen en Alicia raakte finaal in paniek. Ze deed niets anders dan huilen en bij haar moeder zitten. Ze was niet meer in staat haar gezin draaiende te houden, maar haar ouders helpen deed ze ook niet. Gelukkig was Liselotte op een dag gekomen, had de situatie overzien en Alicia naar huis gestuurd. 'Huilen doe je daar maar, hier zijn geen tranen nodig, maar helpende handen.'

Loet werkte nog en kon alleen 's avonds, 's nachts en in het weekend voor Paula zorgen. Liselotte regelde hulp via thuiszorg en kwam twee maal in de week langs om boodschappen te doen en andere zaken te regelen. Hij was haar er nog dankbaar voor, want het kon niet anders dan zwaar geweest zijn. Honderd kilometer woonde ze van Eindhoven vandaan en toch kwam ze trouw twee keer in de week en stak dan meteen haar handen uit de mouwen. In tegenstelling dus tot Alicia, die drie huizen verderop woonde, maar niets deed en er bijna nog slechter uitzag dan haar moeder.

De dokter had totaal geen inschatting kunnen maken van hoelang Paula nog te leven had. Drie maanden? Drie jaar? Vier maanden na de afschuwelijke uitslag werd Loet de gelegenheid geboden met de vut te gaan en die kans greep hij met beide handen aan. Paula was zwak, erg zwak, maar toch leek het er eerder op dat ze die drie jaar zou halen dan die drie maanden. En trouwens, die drie maanden had ze al gehad en zoals het er toen uitzag, was haar toestand stabiel. Hij was blij dat hij haar laatste tijd samen met haar door kon brengen en twee maanden later, precies een halfjaar nadat de dokter darmkanker had geconstateerd, zat zijn leven als werknemer erop en werd hij fulltimehuisman.

De thuiszorg werd afgezegd, maar Liselotte bleef twee keer per week komen. Ze hoefde echter geen boodschappen meer te doen of dingen te regelen. Daar zorgde Loet vanaf dat moment voor. Hij was nooit gek op huishoudelijk werk geweest, maar hij had wel altijd van Paula gehouden en hij was dankbaar dat hij haar bij haar laatste tijd op aarde op deze manier helpen kon.

Vaak lag ze op het bed dat hij in de huiskamer bij de schuifdeuren naar de tuin had gezet. Zodra de zon zich maar iets liet zien, was het daar al aangenaam om te zijn. Meestal zat hij dan bij haar. Het was zichtbaar dat Paula er ook van genoot. Wat hadden ze in die tijd nog veel mooie herinneringen opgehaald! Alicia kwam ook weer langs. Ze huilde niet meer. Had behoorlijk van Liselotte op haar kop gekregen en ze deed haar best haar moeder niet tot last te zijn, maar haar waar mogelijk te helpen.

Ondanks het feit dat iedereen wist dat het niet lang kon duren, was het een heel bijzondere en mooie tijd geweest waarin vooral Loet en Paula nog dichter naar elkaar toe groeiden.

De schok was dan ook vreselijk groot dat nog geen twee maanden nadat hij met de vut was gegaan, Paula haar ogen niet meer opende.

Dat was nu een jaar geleden. Het was een heel moeilijk jaar geweest. Had hij nog gewerkt, dan had zijn werk als afleiding kunnen dienen, maar dat deed hij dus niet meer en hobby's had hij ook amper. Voor Paula hoefde hij niet meer te zorgen en af en toe werd hij gek van de eenzaamheid en vooral verveling. De muren kwamen op hem af.

Liselotte kwam met allerlei aardige voorstellen – lid worden van een bowlingclub, een klaverjasclub, een cursus gaan volgen – maar hij had er de moed niet voor zich op te geven en op een stel wildvreemde mensen af te stappen.

Alicia kwam zeer geregeld langs en vaak met een van haar kinderen. Dat was op zich wel leuk, maar Alicia leek nog verdrietiger dan hij, zodat het moeilijk werd elkaar op te monteren.

Een week geleden had hij bij toeval een jeugdvriend ontmoet en die had zo'n enthousiast verhaal opgehangen, dat Loet minstens net zo enthousiast geworden was en bijna aan niets anders meer kon denken. Maar Alicia was er bij voorbaat al op tegen. Een vakantie vond ze immers al niet in orde, laat staan ... Ze zou haar zus wel optrommelen om hem zijn verstand te laten gebruiken.

Hij lachte grimmig en stond op. Bracht de koffiekopjes naar de keuken en liep de trap op naar boven. Op zijn bed lag de gevlekte zakdoek. Hij liep ermee naar de wastafel in de badkamer en spoelde hem zo schoon mogelijk. Vervolgens hing hij hem te drogen op de radiator die 's avonds nog brandde en liep lachend terug naar de slaapkamer. Alicia vond het maar niks dat hij zijn zakdoeken niet streek. Dat kon niet. Maar hij had haar duidelijk gemaakt dat het hem niets kon schelen. Als de zakdoek maar schoon was. Aanbieden dat zij ze zou strijken had ze niet gedaan. Nee, Alicia was verwend en verwachtte dat de mensen voor haar vlogen, zelf vloog ze zelden voor iemand. Toch hield hij van haar. Hij wist dat ze er zelf niets aan kon doen dat ze zo verwend was. Hij hoopte echter wel dat ze zou leren op eigen benen te staan en liefst zo snel mogelijk, zodat hij zijn eigen weg kon gaan.

2

'Pap, ik hoor morgen al of ik aangenomen ben. Goed, hè?' Alicia kwam opgetogen via de keuken het huis van haar vader binnen.
Loet stond op van de vloer, waar hij samen met Robbie een kasteel van lego aan het bouwen was en keek haar opgewekt aan. 'Dat is inderdaad snel. Hoe ging het gesprek? Wil je een kopje thee?'
'Graag!'
'Opa moet spelen!' Robbie was overeind gekrabbeld en trok nu aan Loets broekspijp.
Loet keek van Alicia naar Robbie en knikte. 'Je hebt gelijk, jongen, het kasteel is nog niet af, maar als het af is, ga ik even met mamma praten.' Hij wendde zich naar Alicia. 'Schenk je zelf even wat in? Het staat al klaar op het aanrecht.'
Alicia's gezicht betrok.
Loet zag het wel en wist dat ze vond dat zij nu recht op hem had, maar hij was immers met Robbie bezig geweest. 'Vijf minuten,' zei hij tegen zijn dochter. 'Het kasteel is bijna af.'
Mokkend ging ze aan de tafel zitten en Loet schudde zijn hoofd. Dit kon toch zo niet doorgaan? En waarom schonk ze geen thee voor zichzelf in? Hij wist dat Paula altijd voor haar gevlogen had, behalve dan het laatste jaar waarin ze zo ziek geweest was, maar Alicia kon toch ook zelf weleens wat doen? 'Zo, die is klaar,' zei hij vrolijk tegen Robbie. 'Nu kun je met het kasteel gaan spelen. Zoek alle ridders maar bij elkaar en zet het hele kasteel ermee vol.'
De kleine jongen keek verheugd naar het mooie bouwwerk en gooide vervolgens een doos op zijn kop om de ridders op te zoeken.
Loet lachte en liep op het aanrecht af. Hij schonk thee voor Alicia en zichzelf in en nam de kopjes mee naar de tafel. 'Alsjeblieft,' zei hij en ging zitten. 'Nou, hoe ging het en wat voor baan was het eigenlijk?'

'Telefoniste, receptioniste half secretaresse,' zei ze. 'Bij Holmes, je kent ze wel. Dat grote bedrijf aan de rand van de stad. Vijf minuten met de auto. Ze maken er onderdeeltjes voor apparaten die in het ziekenhuis gebruikt worden. Ze zochten iemand voor achter de balie, maar er komt eigenlijk erg weinig bezoek, dus ik zou er dan ook secretariaatswerkzaamheden bij krijgen.'

'En hoe leek het?'

'Wat bedoel je?' vroeg ze.

'Nou, waren het aardige mensen, zag de werkplek er aantrekkelijk uit? Dat soort dingen. Had je er zin in?'

'Ik vind geen enkel baantje leuk, pap. Ik werk alleen maar om geld te verdienen.'

Op dat moment realiseerde Loet zich dat hij eigenlijk maar weinig van haar wist. Dit was in elk geval helemaal nieuw voor hem. Ze had altijd alles met Paula besproken, maar die had duidelijk niet altijd alles doorverteld. En hij had niet gevraagd. Omdat hij vond dat ze al te veel tijd bij haar ouders doorbracht. Maar het speet hem, dat hij dit niet wist. 'Houd je niet van werken? Wat zou je dan willen doen?'

'De hele dag op het strand liggen,' zei ze lachend, 'maar ik weet best dat dat niet kan.'

'Houd je dan ook niet van het huishouden? Van je kinderen?'

'Pap, natuurlijk houd ik van mijn kinderen. Waar zijn ze trouwens? Else en Nina?'

Hij keek haar onderzoekend aan. Als ze dat echt niet wist, had ze die vraag als eerste moeten stellen, vond hij. Een moeder hoorde zich toch zorgen te maken over haar kinderen. Of ging ze ervan uit dat het wel vertrouwd was als ze bij hem waren? Maar diezelfde ochtend had ze nog gevonden dat hij niet meer alleen kon wonen. Ze verwarde hem, maar hij besefte voor de zoveelste keer dat ze eigenlijk behoorlijk egoïstisch was. 'Ik dacht dat je wel wist dat ze bij jullie buren zouden spelen,' zei hij. 'Ze zeiden tenminste dat jij het goed vond als ze daarheen gingen.'

'Ach ja, natuurlijk,' zei ze lachend. 'Dom van mij.' Ze stond op en liep op Robbie af. 'Kom op, jongeman, we gaan naar huis. Het is tijd om aan het eten te beginnen.'

'Nee! Ik wil bij opa blijven. Ik wil met de ridders spelen!'

'Dat kan thuis ook,' vond Loet. 'Ik breng het kasteel wel even. Als jij en mamma dan de rest dragen, kun je thuis gewoon doorgaan.'

'Nee, ik wil hier blijven.' Demonstratief ging hij op de vloer zitten. Loet glimlachte inwendig. Hij kon er niets aan doen dat hij het wel leuk vond zoals Robbie zijn eigen mening te kennen gaf. Maar als Alicia wilde dat hij naar huis ging, dan moesten ze zich daarnaar voegen. 'Mamma vindt dat je naar huis moet, dus dan moet dat, Robbie. Doe alle losse spulletjes maar vast weer in die doos. Ik haal even een stuk karton op om het kasteel op te zetten.'

'Nee!'

Alicia keek haar vader wanhopig aan. 'Zie je? Zo gaat dat nou de hele dag. Daar word ik gek van.' Ze leek aanstalten te maken om zonder de jongen te vertrekken, maar daar was Loet het niet mee eens. 'Als jij hem nou even helpt met opruimen,' stelde hij voor terwijl hij naar de aangebouwde schuur liep, waar hij vast nog wel een groot stuk karton had staan. Dat klopte en hij nam het mee naar de kamer, waar Robbie in zijn eentje op de vloer zat.

'Waar is mamma?' vroeg Loet perplex.

'Die is naar huis.' Robbies snoetje straalde triomfantelijk.

Loet voelde zich boos worden, maar hij hield zich in. Hij ging door de knieën en schoof voorzichtig het kasteel op het stuk karton. 'En nu samen opruimen,' zei hij tegen de jongen. 'En snel een beetje.'

'Maar ik wil hier blijven!' hield Robbie vol.

'Dat weet ik wel, maar mamma wil dat je naar huis gaat, dus je gaat.' Had hij niet zelf gezegd dat je consequent moest zijn? 'Helpen!'

zei hij dwingend. Tot zijn vreugde zag hij dat Robbie overeind krabbelde en inderdaad begon op te ruimen. Een paar minuten later waren ze klaar. Robbie keek kwaad en toen Loet vroeg of hij een doos kon dragen, draaide de jongen zich om en liep zonder iets te zeggen via de schuifdeur de tuin in. Loet keek hem grinnikend na. Inderdaad een heel eigenwijs jochie en hij zag echt maar één oplossing: consequent blijven. Bovendien was hij niet van plan alles achter zijn kleinkind aan te sjouwen. Wel liep hij de jongen achterna om te zien of hij echt naar huis ging. Dat deed hij gelukkig. Loet liep weer naar binnen, pakte de doos met legostenen en poppetjes en bracht die naar de schuur. Het kasteel tilde hij voorzichtig op en zette hij op het dressoir om te voorkomen dat hij er per ongeluk over zou struikelen. Dat zou jammer zijn, want het was echt een mooi kasteel geworden, waar hij zelf ook plezier aan beleefd had bij het bouwen.

Loet had gegeten en de afwas gedaan. Hij had koffie voor zichzelf gezet en was naar boven gelopen om de envelop weer tevoorschijn te halen. Hij wilde alles nu eens echt uitgebreid en op zijn gemak bekijken. Hij ging net aan tafel zitten, toen de telefoon rinkelde. Loet schoot onwillekeurig in de lach. Wat een geluk dat hij de foto's nog niet uit de envelop had gehaald en dat hij het kopje koffie nog niet had vastgepakt voor een slok.

'Barends,' zei hij.

'Pa! Wat hoor ik? Heb je vakantieplannen?' riep een duidelijk opgetogen Liselotte in zijn oor.

'Hé, meid, wat leuk dat je belt!' reageerde hij enthousiast. 'Hoe is het bij jullie?'

Liselotte schoot in de lach. 'Daar bel ik niet voor en dat weet je. Kom op, vertel. Wat ben je van plan?' Haar stem klonk opgewekt en vooral meelevend, alsof ze echt blij was dat hij vakantieplannen gemaakt had. Zo precies het tegenovergestelde van haar zus.

'Ja,' gaf hij toe. 'Ik wil binnenkort een paar weken naar Frankrijk.'

'Een paar weken nog wel! Leuk, hoor! En waarnaartoe precies? Een hotel, pension? En wat ga je er doen? En met wie?'

'Ja, ogenblikje, zeg.' Hij grinnikte. 'Niet zo veel vragen tegelijk!'

'Oké, prima, maar ik wil wel alles weten. Ik vind het zo'n geweldig idee! Hartstikke goed, pa!'

Hij glimlachte, omdat hij wist dat ze elk woord meende. 'Heb je dat ook tegen Alicia gezegd?' Want Liselotte kon het niet anders dan via haar zus te weten zijn gekomen.

'Alicia,' bromde ze. 'Ik snap haar niet. Het is toch juist geweldig dat je iets leuks gaat doen! Duizend keer beter dan de hele dag thuis zitten te verpieteren.'

'Dat vond ik zelf ook,' zei Loet, 'maar dat vindt Alicia niet dus. Ik begrijp alleen niet goed waarom.'

'Ze wilde dat je op haar kinderen gaat passen, toch?'

'Ja, dat vroeg ze, maar dat kan toch niet de reden zijn waarom ze het erg vindt dat ik op vakantie wil?'

Liselotte viel even stil en Loet maakte daarvan gebruik om snel een slok van zijn koffie te nemen.

'Ze mist ma zo verschrikkelijk,' zei Liselotte. 'Als jij ook weggaat, heeft ze niemand meer.'

Hij zuchtte.

'Ik heb gezegd dat dat onzin is,' ging Liselotte verder. 'We moeten juist blij zijn dat je zoiets leuks gaat doen, heb ik gezegd. Het is maar voor tijdelijk, dus waar maakt ze zich druk om?'

Loet zweeg. Tijdelijk? Dat was niet helemaal zijn bedoeling, maar dat kon hij voorlopig beter voor zich houden. Zelfs naar Liselotte toe.

'Pa,' ging Liselotte monter verder, 'je moet je niks van Alicia aantrekken. Je hebt recht op je eigen leven. Je moet doen wat jij leuk vindt! Ik vind het juist prachtig. Je zult zien hoe je ervan opknapt. Alle dagen niets om handen hebben, is niet leuk. Je moet dingen in het vooruitzicht hebben. Dus: wanneer ga je en met wie?'

'Maar ik maak me wel zorgen om Alicia,' zei Loet. 'Ze ...' Hij wist niet wat hij ervan moest zeggen. Eigenlijk moest hij niet met Liselotte over haar zus praten. Dat hoorde niet, kon niet.

'Ze moet eindelijk eens op eigen benen gaan staan,' maakte Liselotte zijn zin af.

'Ja ...'

'Nou, kom op. Vertel nou wat je plannen zijn!'

'Oké, daar komt ie. Vorige week was ik in de stad. Ik vond dat ik eens een nieuwe trui moest kopen. Helemaal onverwachts liep ik tegen Evert aan. Ik denk dat je nog nooit van hem gehoord hebt, maar ik ken hem van de middelbare school. Hoewel ik moet zeggen dat ik hem niet meteen herkende, hij herkende mij, al hadden we elkaar zeker dertig jaar niet meer gezien! Misschien wel meer. Hij woont al jaren niet meer in Eindhoven, maar in Rotterdam. Zijn moeder leeft nog en woont hier nog wel, nou ja, dat is allemaal niet belangrijk. We zijn meteen ergens koffie gaan drinken en hebben natuurlijk allerlei herinneringen opgehaald. Echt heel aangenaam. Hij vertelde dat hij vaak naar Frankrijk op vakantie ging en toen vatten we het plan op om samen te gaan. Hij is gescheiden en dus ook alleen. Het leek me geweldig. Ik ben altijd gek op Frankrijk geweest, maar mamma ...' Even zweeg hij. Het was niet aardig om iets negatiefs over Paula te zeggen, maar het was wel zo dat zij nooit naar Frankrijk toe had gewild. Zij wilde elk jaar naar Spanje, waar je zeker was van warm weer, zei ze altijd. Eén keertje waren ze naar Frankrijk geweest met de auto, toen de kinderen nog klein waren, maar het had er twee weken bijna aan een stuk door geregend en hij had het jaren aan moeten horen dat Frankrijk geen geschikt vakantieland was. En dus gingen ze altijd naar Spanje. Met het vliegtuig, want zo'n lange reis in de auto was niets voor kinderen, vond Paula. Hij had het prima gevonden, omdat hij zag hoe zijn drie vrouwen genoten van het strand en de zon en dat gunde hij hen van harte. Maar zijn liefde voor Frankrijk was blijven knagen en Evert was dus wel een geschenk uit de hemel te noemen.

'Daar zijn we toch ooit samen geweest?' onderbrak Liselotte zijn gedachten.

'Weet je dat nog?' Hij was verrast.

'Tuurlijk, ik was elf, want ik weet nog goed dat Alicia net een jaar was. Ze kon nog niet lopen, maar kroop de hele camping over.'

Hij schoot in de lach. 'Ja, dat klopt.'

'En dat vond ma niet leuk, want het was overal zo modderig door de regen.'

'Aan jouw geheugen mankeert niets! In elk geval zijn we daarna nooit meer naar Frankrijk geweest, terwijl ik het zo'n interessant land vind. Bovendien spreek ik goed Frans, althans vroeger. Nu heb ik het natuurlijk al eeuwen niet meer gesproken. Maar ik vind het een prachtige taal. Kort samengevat hebben Evert en ik het plan opgevat om over een maand of zo twee tot drie weken naar Frankrijk te gaan. Hij kent daar allerlei leuke plekjes en mij maakt het in principe niet uit waar we naartoe gaan, als het maar Frankrijk is. Een datum hebben we nog niet geprikt en honderd procent definitief is het dus nog niet, maar ik heb er wel zin in.'

'Logisch, pa! Echt leuk. Moet je doen, hoor.'

Loet lachte. Wat een verschil met zijn andere dochter.

'En van Alicia moet je je niets aantrekken,' zei Liselotte alsof ze gedachten kon lezen. 'Ze zoekt maar een andere oppas als je weg bent. Jij hebt jouw leven en Alicia moet leren het zonder jou te doen.'

Glimlachend legde Loet de hoorn op de telefoon. Het was een gezellig gesprek geweest. Liselotte had nog even verteld hoe het met Rutger ging en met Sem en Minke, hun twee kinderen, en dat ze zelf ook vakantieplannen aan het maken waren, maar dan voor de zomer. Ten slotte had ze gezegd dat ze nog weleens met Alicia zou bellen, om haar zus aan het verstand te peuteren dat ze haar vader los moest laten.

Hij stond op en schonk nog een kop koffie in. Daarna pakte hij de grote envelop om eindelijk de inhoud eens echt te bekijken. Even betrok zijn gezicht, want helemaal eerlijk was hij niet geweest tegen Liselotte, maar het leek hem beter het verhaal in stukjes en beetjes te vertellen en niet alles in een keer op tafel te gooien, want dat zou Alicia zeker niet aankunnen.

Hij schudde de foto's en papieren op tafel, zag tot zijn opluchting dat de foto's niet te beschadigd waren geraakt door de koffie en voelde zijn hart sneller slaan bij het zien van de prachtige landschappen en vergezichten die de foto's van Bretagne en het Loiregebied te bieden hadden.

Ze zeiden dat toeval niet bestaat, maar wat was het dan dat hij Evert tegen was gekomen? Echt meer dan dertig jaar hadden ze elkaar niet gezien. Als hij er goed over nadacht, kon het zelfs wel veertig jaar zijn! Ze zaten bij elkaar in de klas, de laatste drie jaren van de hbs. Ze hadden beiden voor hbs-a gekozen, de talenkant, talen en boekhouden. Geen meetkunde en algebra, zoals ze toen wiskunde nog noemden. De b-kant lag hen allebei niet. Ze hadden een leuke leraar voor Frans. Toe, hoe heette hij nu ook alweer? O ja, Knieze. Een echte francofiel, die zijn liefde voor Frankrijk niet onder stoelen of banken stak. Naast alle werkwoordsvormen die ze erin moesten stampen en zelfs midden in de nacht moesten kunnen opdreunen, liet hij ook altijd dia's zien van Frankrijk, dat er zo heel anders uitzag dan Nederland. En de liefde van Knieze was besmettelijk. Loet begon erover te dromen ook ooit naar Frankrijk toe te gaan. Evert werd er al net zo gek van en direct na hun eindexamen – ze waren allebei geslaagd – vertrokken ze tegen de wil van hun ouders in liftend naar Frankrijk, het grote avontuur tegemoet.

Loet gniffelde. Als hij dat nu aan zijn kinderen zou vertellen, zouden ze afkeurend hun hoofd schudden. In die tijd echter was het normaal dat jonge mensen gingen liften. Natuurlijk moest je uitkijken bij wie je in de auto stapte, maar levensgevaarlijk zoals het nu vaak was, was het destijds echt nog niet.

Zes weken waren ze samen weg geweest, toen was hun geld op. Evert wist er ook nog alles van, zoals vorige week bleek bij hun onverwachte ontmoeting. 'Toen boden de mensen je soms nog een gratis slaapplaats aan,' zei hij lachend.

Ja, zo was dat. Een paar keer had een chauffeur die hen meenam aangeboden dat ze wel bij hem konden overnachten. Een keer in een luxekamer, een keer op een matras in de garage. Wat was het spannend geweest! En wat was het een uitdaging geweest om zolang mogelijk te blijven, zo goedkoop mogelijk te leven. En wat hadden ze een plannen gehad toen ze weer terug waren in Eindhoven. Ze beloofden elkaar plechtig dat ze ooit samen in Frankrijk zouden gaan wonen.

Dat liep zo heel anders. Een paar weken nadat Loet terug was, moest hij in militaire dienst. Verplicht, Hij kon er niet onderuit. Wilde ook niet. Hij vond het normaal dat een land een leger had. Zeker na alle verhalen die hij van zijn ouders gehoord had over de Tweede Wereldoorlog.

Tijdens een van zijn vrije weekends was hij Paula tegengekomen. Het was liefde op het eerste gezicht en het was wederzijds. Hij kreeg het er moeilijk mee dat hij telkens op zondagavond weer terug moest naar de kazerne die vele kilometers bij Eindhoven vandaan lag. Aan de andere kant ontstond er op die manier een heerlijke briefwisseling die anders misschien nooit had plaatsgevonden. De brieven had hij nog steeds en hij wist ook precies waar ze lagen. Een paar weken voor Paula's overlijden had hij ze nog eens tevoorschijn gehaald en ze samen met haar gelezen. Ja, ondanks de afstand was het een hartverwarmende periode geweest en dat niet alleen. Twee weken nadat hij afgezwaaid was, vertelde Paula hem dat ze zwanger was. Hij was volkomen verrast. Ze hadden "het" nog maar een keer gedaan en bovendien op een tijdstip waarop het veilig was, volgens Paula dan. Het gooide al zijn plannen overhoop, al zijn dromen, want natuurlijk zou hij met haar trouwen. Daar twijfelde hij geen seconde aan. Hij wílde ook met haar trouwen, want hij hield van haar en dat was hij heel haar leven blijven doen!

Er moest geld komen, want ze moesten een huisje huren, eten kopen, kinderspulletjes uitzoeken. Dus van een reis naar Frankrijk of zich daar vestigen kwam niets meer. Een keer vroeg hij haar wat ze ervan zou vinden om naar Frankrijk te emigreren, maar ze schrok zo van de vraag dat hij er nooit meer over begonnen was. Ze was gehecht aan haar ouders, verknocht aan Eindhoven en ze kon het zich niet voorstellen ooit ergens anders te wonen. Hij accepteerde het zonder te protesteren en nu hij terugkeek, realiseerde hij zich dat hij het nooit echt erg gevonden had. Nee, hij kreeg er een vrouw én een dochter voor in de plaats en die twee had hij nooit voor Frankrijk willen verruilen. Zijn liefde voor Paula en voor Liselotte waren groter dan zijn liefde voor Frankrijk.

Maar nu was Paula er niet meer en Liselotte was een grote meid van veertig, die hem echt niet meer nodig had. Zijn wijsvinger gleed over de foto's van het eeuwenoude huis dat Evert onlangs gekocht had. Het was een prachtig huis, groot, statig, gebouwd van gelige bakstenen. En de omgeving was zo te zien overweldigend mooi. Slechts vijftien kilometer bij de Atlantische Oceaan vandaan, stond er in de papieren.

'Weet je nog wat we elkaar beloofd hebben?' was het eerste wat Evert vorige week vroeg toen ze beiden met een kop koffie voor zich in een restaurant in de binnenstad zaten.

'Ja,' zei Loet met een glimlach die hij van zijn mond naar zijn ogen voelde glijden.

'En?' vroeg Evert.

'Doen!' was alles wat Loet op dat moment zei.

3

'Ik weet echt niet hoe het moet, hoor,' verzuchtte Alicia. Ze keek haar man André met een wanhopig gezicht aan. 'Als pap niet mee wil werken!'

'Zelfs als hij wel zou willen meewerken, vind ik niet dat we een beroep op hem moeten doen,' vond André. Hij had dat al vaker gezegd, maar Alicia luisterde niet naar dat soort opmerkingen.

'Hij is mijn vader,' protesteerde ze. 'Hij is de opa van mijn kinderen! Ik vind het niet meer dan normaal dat hij af en toe op ze past. Jouw ouders passen toch ook op? Die vinden dat ook normaal.'

'Echt niet!' riep André uit. 'Mijn moeder vindt het leuk en mijn vader werkt nog. Die merkt er amper wat van. Dat valt niet te vergelijken. Maar normaal is het niet. Ze doet het alleen omdat ze het leuk vindt.'

'Pap heeft toch niets te doen? Hij zou juist blij moeten zijn dat ik de kinderen bij hem wil brengen.'

'Dat zal hij ook wel zijn, maar niet zo vaak en niet elke week.'

'Als mamma er nog was, die zou ze elke dag wel willen hebben!' riep Alicia uit.

'Als, Alicia, als. Je moeder is er niet meer en het wordt tijd dat je dat leert te aanvaarden.'

Ze keek hem met grote ogen aan. 'Dus ik mag niet meer verdrietig zijn? Ik mag mamma niet meer missen?' Ze stond geërgerd op van tafel en verdween naar de keuken.

André keek haar zuchtend na. Het ging echt niet goed met Alicia sinds zijn schoonmoeder was overleden, maar het leek er eigenlijk op dat het ook niet beter werd, eerder erger. Hij wist zo langzamerhand niet meer wat hij met haar aan moest. Hij hield van haar, ontzettend veel, maar ergens had hij het gevoel dat zijn liefde op de proef werd gesteld. Oké, hij had altijd geweten dat ze verwend was en enorm aan haar moeder hing. Maar Paula was een lieve schoonmoeder geweest en hij had er weinig last van gehad dat ze zo'n hechte band hadden. Alicia had ook zo veel goede kanten, ze hield het huis keurig schoon, ze was altijd lief tegen hem, ze vrijden vaak en hadden het samen heel goed. Hij was in elk geval erg tevreden. Behalve op momenten zoals nu, dat ze niet aanspreekbaar was en hij niet tot haar door kon dringen.

Hij kwam overeind en liep haar achterna naar de keuken. Daar stond ze als een zielig mensje tegen het aanrecht aangeleund. 'Hé,' zei hij zacht, terwijl hij zijn armen om haar heen sloeg en haar tegen zich aantrok. 'Liefje, natuurlijk mag je verdrietig zijn om je moeder en het spreekt vanzelf dat je haar nog mist, maar ze is nu eenmaal overleden en dát zal je moeten leren accepteren. Je moet verder zonder haar, dat is gewoon niet anders en dus moet het.' Hij streelde haar haren. 'Kom, kom mee naar de kamer en laten we er nog eens over praten, want eigenlijk begrijp ik nog steeds niet waarom je bij Holmes gesolliciteerd hebt.'

'Niet?'

'Nee.' Zacht duwde hij haar weer terug naar de kamer en naar de bank. Ze liet zich gewillig zakken en hij ging naast haar zitten. 'Nou? Waarom heb je gesolliciteerd? Bevalt je werk je niet meer?'

'Jij zei dat we geen geld hadden om een nieuwe auto te kopen.'

'En?'

'Nou, dan moet ik wel meer buitenshuis gaan werken dan nu, toch?'

'Voor een nieuwe auto?' Hij keek haar beduusd aan.

'Ja, als we zo arm zijn, dan moet dat.'

'Lieve meid, we zijn helemaal niet arm. Maar de auto die jij wilde, tja, die was te duur en dat lijkt me logisch. Die kost veertigduizend euro. Zoiets kan bijna niemand zich permitteren.'

'Liselotte heeft wel zo'n auto,' zei ze nukkig.

'Ja, vind je het gek? Die least ze via haar werk. Bovendien werkt ze al jaren langer dan jij en heeft ze een hoger inkomen. Ze is tien jaar ouder, Alicia. Over tien jaar verdien jij ook meer dan nu. En als je dan een baan hebt waarbij je een auto voor de zaak nodig hebt, kun je die misschien ook wel leasen. Maar ik weet zeker dat Liselotte en Rutger ook niet zo'n auto kunnen kopen van hun salaris. Ze hebben ook kinderen en die kosten op dit moment meer dan die van ons. Tieners zijn altijd duurder dan basisschoolkinderen. Is dat de reden waarom je langer wilt gaan werken?'

'Nou ja, ik dacht ... Laatst wilde Robbie een nieuwe lego-auto en jij zei dat die te duur was.'

'Dat was twee weken voor zijn verjaardag, Alicia. Je gaat zo'n kind toch geen dure speelgoedauto geven vlak voor hij jarig is!'

'Ik vond het zielig voor hem. Hij wilde die auto zo graag hebben en toen zei jij dat die te duur was.'

'Maar hij heeft die auto toch gekregen?' riep André uit. 'Vertel nou eindelijk eens wat er echt aan de hand is. Je weet heel goed dat we de kinderen niet zomaar iets geven en al helemaal niet vlak voor hun verjaardag.'

'Mamma had hem wel gekocht,' liet ze zich ontvallen.

Hij zuchtte. Hier was niets tegen in te brengen omdat ze vermoedelijk nog gelijk had ook. 'Maar, Alicia, het is niet goed voor een kind om het alles maar te geven wat het hebben wil. Daar hebben we het al vaak genoeg over gehad en toen was je het met me eens.'

'Toen was mamma er nog.'

'Alicia, je moeder is nu al een jaar dood!'

'Zie je? Met jou valt niet te praten.' Ze wilde overeind komen, maar hij pakte haar vast bij haar arm en trok haar bij zich op schoot. 'Meisje, weet je wat jij eens moest doen? Een weekje weg. Misschien kun je wel een paar dagen bij Liselotte terecht. Lijkt je dat niet wat? Die woont daar zo mooi in Zeeland. Overal water en wind. Kan je lekker uitwaaien.'

'En wat doen we dan met de kinderen? Jij bent gek!'

'Helemaal niet. Je vader wil best een paar dagen invallen en mijn ouders ook. Bovendien kan ik ook weleens een paar uur eerder vrij nemen. We redden ons best. Bel je zus en vraag of het uitkomt.'

Ze knikte en er gleed een kleine glimlach rond haar lippen. 'Misschien is dat inderdaad wel een goed idee, maar wat doe ik nu met Holmes? Ze willen me hebben.'

'Die bel je morgen af. Je werkt nu zestien uur en dat vind je al te veel. Je gaat geen vierentwintig uur bij Holmes werken. Als je het nu leuk zou vinden om te doen, is het wat anders, maar dat vind je niet. Zo'n dure auto hebben we niet nodig en is bovendien jammer van het geld met zulke kleine kinderen. Binnen de kortste keren zit er een kras op. En Robbie en zijn zusjes hoeven niet maar te wijzen om iets te krijgen.'

'Toch was het zielig dat hij die auto niet kreeg toen hij hem hebben wilde.'

'Jij kreeg zeker altijd alles?'

'Ja, meteen en als ik het niet meteen kreeg, begon ik te krijsen.'

'In de winkel?' vroeg André, maar hij wist het antwoord wel. Hij had dit al eerder gehoord. 'Alicia, ik hou van je, maar alsjeblieft laten we één lijn trekken naar de kinderen toe. We gaan ze niet zo verwennen als jij verwend bent geweest.'

Hij trok haar opnieuw tegen zich aan en kuste haar wangen en haar mond. In haar ogen zag hij iets van opluchting en hij begreep dat ze eigenlijk blij was dat ze gewoon bij Jacques kon blijven werken.

Alicia was niet iemand die van veranderingen hield; ze hield van vaste gewoontes, zodat ze wist waar ze aan toe was.

Daarom was het natuurlijk extra erg dat haar moeder er niet meer was, want dat was een enorme verandering, bijna onoverkomelijk.

Liselotte vond het een geweldig idee en een paar dagen later haalde ze haar zus dan ook op van het station in Bergen op Zoom. 'Fijn dat je er bent!' riep Liselotte uit.

'Dat zal wel,' mokte Alicia.

'Dat begint gezellig,' zei Liselotte lachend. Ze was niet van plan haar goede bui door haar zus de kop in te laten drukken. 'Het is prachtig weer, dus ik dacht dat we maar ergens een kopje koffie moesten gaan drinken met uitzicht op het water. Goed?'

'Mij best,' was alles wat Alicia terugzei.

Na een halfuurtje rijden parkeerde Liselotte voor een restaurant. Van water was niets te zien, maar toen ze eenmaal binnen waren, bleek er aan de achterkant een terras te zijn dat uitkeek over het water. Alicia ontdooide meteen en liep zonder aarzelen het restaurant door, het terras op. Daar zocht ze een beschut plaatsje midden in de zon. 'Is dat de zee? Dat mis ik toch wel in Eindhoven. Mooi is het hier.'

'Dat is de Oosterschelde,' zei Liselotte. Ze glimlachte tevreden en bestelde koffie met gebak. 'Waarom denk je dat ik het niet fijn vind dat je er bent,' kwam ze op Alicia's eerste opmerking terug. 'Ik heb niet voor niets vandaag vrijgenomen! Ik vind het juist hartstikke leuk dat je eens bij me komt logeren.'

Alicia haalde haar schouders op. 'We zijn nooit zo gek op elkaar geweest, toch?'

Liselotte schrok zo van deze opmerking dat ze in eerste instantie niets terug wist te zeggen. Wat bedoelde Alicia? 'Meid,' zei ze zachtjes, 'wat een rare opmerking. Ik ben altijd gek op jou geweest. Vanaf je geboorte! Als je eens wist hoe blij ik was met jouw komst.'

Alicia draaide zich naar Liselotte om haar gezicht te kunnen zien. Ze leek haar woorden te menen. 'Ik heb altijd gedacht dat je mij niet uit kon staan.'

'Wat?' Liselotte keek haar volkomen beduusd aan. 'Hoe kom je daar nou bij?' Ze was helemaal ontdaan. Het was alsof ze een klap in haar gezicht kreeg, maar ze had echt geen idee waarom. 'Heb ik je zo slecht behandeld dan?'

'Dat is het niet, maar ...' Alicia hield op omdat de koffie gebracht werd.

'Wilt u slagroomgebak of vruchtentaart?' vroeg het meisje.

'Slagroomgebak,' zei Alicia.

'Vruchtentaart,' bestelde Liselotte.

'Kijk, dat bedoel ik nou,' zei Alicia vrij fel. 'Jij wilt altijd wat anders dan ik. Je doet anders, je bent anders.'

'Nou en? Wat geeft het dat we verschillende smaken hebben en verschillende mensen zijn? Het lijkt me zelfs veel leuker. Stel dat we in alles gelijk zouden zijn. Dan weten we op het laatst niet meer wie wie is. Alicia, verklaar je nader, want ik begrijp er niets van.'

'Misschien is het andersom,' zei Alicia aarzelend. 'Misschien heb ik jou wel nooit gemogen.'

Liselottes mond viel open, ze zei niets. Ze was te verbouwereerd. Had ze te lelijk tegen haar gedaan in die tijd dat moeder zo ziek was? Of laatst, toen ze vertelde dat hun vader op vakantie wilde gaan? Was dat het? Tja, nu ze erover nadacht had ze wel regelmatig kritiek op haar zus gehad, maar nooit uit kwaaiigheid. Ze had het altijd alleen maar goed bedoeld en vooral uit liefde voor haar gedaan, om haar te steunen, moed te geven. 'Alicia ...'

Het gebak werd gebracht en ze begonnen er zonder te praten van te eten. Liselotte had zich echt op dit bezoek verheugd, maar vanaf de eerste seconde liep het verkeerd. Waar kwam dat door?

'Jij hebt altijd alles zo goed voor elkaar,' verstoorde Alicia haar gedachten. 'En je weet ook altijd precies wat je moet zeggen. Je bent doortastend en hebt je eigen mening en als je het niet met mij eens bent, krijg ik de wind van voren.'

'Zo heb ik het nooit bedoeld,' verdedigde Liselotte zich, 'maar ik vind soms gewoon dat je ...'

'Ik voel me altijd een klein meisje als ik bij jou in de buurt ben.'

'Waarom ben je dan gekomen?' Het kwam er feller uit dan Liselotte wilde, maar ze schrok van dit hele gesprek en had moeite zich in te houden. 'Ik hou van je,' zei ze.

'Daar geloof ik dus niets van,' vond Alicia. 'Je hebt nooit van me gehouden. Je hebt me altijd een lastpost gevonden.'

'Altijd?'

'Ja, precies. Altijd. En dat heb je me ook altijd laten voelen.'

'Dan begrijp ik niet wat je hier doet.'

'Ik wist niets anders. Het leek me een goed idee om eens een paar dagen weg te gaan, weg van André en weg van de kinderen en vooral weg van het gemis van mamma. Die paar vriendinnen die ik heb, wonen natuurlijk allemaal in Eindhoven, dat is nog niet echt weg.'

'Waarom heb je me dit nooit eerder gezegd, dat je me niet mag?'

'Ach,' Alicia haalde haar schouders op, 'toen was mamma er nog ...'

Ze dronken zwijgend van hun koffie, maar keken elkaar over de rand van de kopjes onderzoekend aan. Opeens begon Liselotte te glimlachen. 'Ik weet nog precies dat je geboren werd,' zei ze. 'Ik was zo blij! Pa zei dat ik een broertje of zusje zou krijgen. Ik wilde het liefst een zusje, dat leek me te gek. Ik was tien en altijd alleen geweest. Een klein zusje om mee te spelen dat leek me het mooiste wat er bestond. En je was ook een zusje. Een heel mooi kindje. Wat was ik blij met je! Helaas kon je eerst nog niet spelen, maar ik mocht wel de wandelwagen duwen. Apetrots was ik dan!' Liselottes gezicht straalde bij de herinnering.

'Daar weet ik niets van.'

'Logisch, jij was een baby, maar ik heb je vreselijk vertroeteld en met je geknuffeld. Tot je ging lopen, ja, toen werd je weleens lastig, want je kon opeens overal bij waar je eerst niet bij kon.' Liselotte schoot in de lach toen ze terugdacht aan die eerste dag. 'Ik kwam uit school en ma gilde van vreugde dat je kon lopen. Het werd tijd ook, want je was al anderhalf, maar je kon het. Ma was zo trots en ik ook! Samen met jou hebben we een dansje door de kamer gemaakt.'

'Daar weet ik echt niets meer van. Ik weet alleen maar dat ik altijd jaloers op jou was en dat ik dacht dat je me niet leuk vond.'

'Jij jaloers op mij?' Liselottes ogen schoten wagenwijd open. 'Als er iemand jaloers was, dan was ik het. Op jou!'

Ze keken elkaar verbaasd aan.

'Hoezo?' vroeg Alicia.

'Ach, nou ja, jij kunt daar niets aan doen en dat heb ik mezelf ook altijd voorgehouden. Ma was nooit zo gek op mij. Ze vond me meer lastig dan lief. Later heb ik dat wel begrepen. Ik kwam veel te vroeg. Ze moesten trouwen omdat ma zwanger was van mij. Maar ze was er nog helemaal niet aan toe om al een kindje te krijgen. Ze wist ook niet hoe ze met me om moest gaan. Eigenlijk moest ik altijd mezelf vermaken. Pa wilde nog weleens iets samen met mij doen, maar ja, die was overdag altijd naar zijn werk. Ma heeft nooit met mij gespeeld. Maar met jou speelde ze altijd. Jij was gewenst. Naar jou had ze verlangd en daar was ik weleens jaloers op. Waarom was jij jaloers op mij?'

'Omdat jij altijd zelf mocht weten wat je ging doen. Natuurlijk weet ik wel dat je tien jaar ouder was, maar als jij bij een vriendinnetje wilde gaan spelen, dan deed je dat. Ik moest altijd alles vragen en mamma moest precies weten met welk kind ik wilde spelen en ik mocht nooit te laat thuiskomen. Ze hield me altijd in de gaten, terwijl jij je eigen gang mocht gaan.'

Liselotte knikte. 'Dat is dus precies wat ik zei. Ze was niet blij met mij en liet me mijn eigen gang gaan. Dat was lang niet altijd leuk. Ik had maar wat graag een moeder gehad die zich meer voor mij interesseerde. Maar ja, het grote voordeel is dat ik nu een zelfstandige vrouw ben. En jij?'

Alicia zweeg. Ze wist heel goed wat het antwoord was, maar het kostte haar moeite om het te zeggen. Het woord zelfstandig stond niet in haar woordenboek. Ze was afhankelijk. Afhankelijk van haar moeder en nu die er niet meer was, wist ze niet van wie ze dan afhankelijk moest zijn. Ze wilde het liefst dat André de rol van haar moeder overnam, dat hij alles voor haar besloot. Aan de andere kant wilde ze dat juist helemaal niet, wilde ze zijn zoals Liselotte: zelfstandig en vrij. Ze wilde zelf dingen beslissen. Ze zuchtte.

'Jij kreeg ook altijd alles van ma,' ging Liselotte verder. 'Alles wat je wilde, kreeg je. Dat vond ik soms niet eerlijk en dat liet ik ook weleens merken. Ik had heel weinig speelgoed en ik kreeg meestal goedkope kleren, terwijl jij dure kreeg. Misschien denk je dat ik je daarom niet mocht. Maar dat had niets met jou te maken. Ik vond het niet eerlijk van ma. Als ik er boos om was, dan tegen ma, maar nooit tegen jou. Pas toen ik zelf moeder werd, begon ik de dingen beter te begrijpen. Toen snapte ik hoe moeilijk ma het gehad heeft. Sem was zeker gewenst, maar ik had toch geen idee hoe het was om een kind te verzorgen. Maar ma was amper negentien, zelf een kind nog. Bij Minke ging het allemaal zo anders, toen had ik ervaring en kon ik er meer van genieten. Zo moet ma dat ook ervaren hebben. Alleen hoop ik niet dat ik Sem te weinig aandacht gegeven heb, zoals ma wel bij mij gedaan heeft.'

Ze zwegen een poosje, ieder met hun eigen gedachten. In de verte scheerde een meeuw vlak boven het water. Plotseling dook hij de diepte in. Door de felle stralen van de zon was het zichtbaar dat hij met een visje in de snavel boven water kwam. Liselotte glimlachte erom. 'Die meeuw kun je wel een beetje met mij vergelijken. Ik moest voor mezelf zorgen. En jou kun je met zijn jongen vergelijken die in het nest zitten te wachten en waarschijnlijk piepen om het visje, dat dus zo meteen thuis bezorgd wordt.'

'Met andere woorden: ik werd verwend,' stelde Alicia vast.

'Dat weet je allang.'

'Hm. Ik dacht trouwens dat jij een vaderskindje was. Je ging veel meer met pap om. Altijd als hij thuiskwam, rende jij als eerste op hem af en hij knuffelde jou altijd heel uitgebreid.'

'Ja, pa begreep dat ik aandacht te kort kreeg van ma. Gelukkig maar. Toch is het vreemd, Alicia, dat we allebei jaloers op elkaar waren en ik vind dat we daar dus maar snel mee moeten ophouden.'

Hun blikken ontmoetten elkaar. Die van Alicia stond nog niet echt vriendelijk.

'Tja,' verzuchtte Liselotte, 'als je altijd gedacht hebt dat ik je niet mocht, begrijp ik ook wel dat je nu niet opeens kunt geloven dat ik wel van je houd, maar we kunnen toch een poging doen om elkaar te geloven en vooral alles eerlijk tegen elkaar te zeggen?'

'Zie je, dat bedoel ik nou!' siste Alicia. 'Jij weet altijd precies wat je zeggen moet. Ik niet!'

Liselotte glimlachte. 'Juist, ik heb aandacht te weinig gehad van ma en ben daardoor zelfstandig geworden. Jij hebt aandacht te veel gehad en voelt je nu verdrietig en in de steek gelaten. Als we daar nou samen eens iets aan doen, joh. Dat moet toch kunnen?'

'Zullen we nog een koffie bestellen?' vroeg Alicia omdat ze de serveerster zag lopen.

Liselotte schoot in de lach. 'Dat bedoel ik, ja. Neem zelf het heft eens in handen. Heel goed! Als je maar weet dat ik betaal, want ik trakteer vandaag.'

's Avonds na het eten stelde Liselotte voor om samen een wandeling te maken. 'Het is hier altijd zo heerlijk fris op Tholen. Ik vind echt dat je het verschil met Eindhoven kunt ruiken.'

'Maar dat is toch ongezellig voor de anderen,' wierp Alicia tegen.

'Welnee, Sem en Minke hebben allebei huiswerk en Rutger heeft werk mee naar huis genomen. Die vermaken zich wel en als je nou elke week kwam … Zullen we?'

'Oké.'

'Mooi, dan haal ik even mijn rugzakje op, want ik vind het altijd prettig om een fles water mee te nemen. Wil je ook fruit voor onderweg?'

'Wat ben je van plan?' vroeg Alicia lachend. 'Ik loop nooit zo veel, dus ik wil gewoon over een uurtje weer terug zijn.'

Maar dat redden ze niet, want op een gegeven moment stelde Liselotte voor om in het gras te gaan zitten om van het uitzicht te genieten.

Alicia liet zich dankbaar op de grond vallen. Ze was enigszins buiten adem. Liselotte bekeek haar onderzoekend. 'Doe je niet aan sport?'

'Nee, ik vind altijd dat ik in huis al genoeg loop, maar je hebt gelijk, mijn conditie is niet optimaal.' Ze pakte de rugzak en zocht de fles water op. 'Hoe oud is Minke eigenlijk? Ik bedoel: dat ze al huiswerk heeft. Ik dacht dat ze nog steeds op de basisschool zat.'

'Dat is ook zo, maar de laatste maanden krijgt ze regelmatig huiswerk mee. Na de zomervakantie moet ze eraan geloven en daarom oefenen ze vast hoe het is om huiswerk te hebben.'

'En wat gaat ze na de vakantie doen?'

'Ze had een heel goeie Cito-toets. Ze gaat naar de brugklas voor het vwo.'

'Zo, leuk. En Sem?'

'Die zit nu in de tweede van het vwo, hij gaat straks dus al naar de derde.'

'Hij gaat over?'

'Dat kan niet anders met zulke cijfers,' zei Liselotte zonder haar trots te verbergen. 'En jouw kinderen?'

'Ja, Robbie zit sinds vorige week in groep een. Dat is wel even wennen. Voor allebei. Zelf vind ik het wel een verademing, want hij kan knap lastig zijn. Of hij het leuk vindt, weet ik nog steeds niet. Hij huilt telkens als ik wegloop, maar de juf zegt dat hij meteen stopt met huilen als ik buiten beeld ben. En Nina zit in groep drie en Else in groep vijf. Ik snap trouwens niet hoe je dat doet.'

'Wat?' Liselotte keek haar vragend aan.

'Met Sem. Het is zo'n leuke knul geworden en hij is zo beleefd.'

'Tja, gewoon goed opvoeden,' zei Liselotte lachend. 'Wat bedoel je?'

'Ik denk niet dat het lukt met Robbie. Die is zo anders dan zijn zusjes, een echte kwajongen. Ik weet me gewoon geen raad met hem en mamma ...' Haar stem viel weg.

Liselotte legde troostend haar hand op Alicia's arm. 'Praat je weleens met André over Robbie?' vroeg ze.

'Ach, André ... die vindt het gewoon leuk dat Robbie zo ondeugend is. "Jongens zijn zo," zegt hij altijd.'

'Dat is ook wel een beetje zo. Minke is ook heel anders dan Sem. Maar hij moet natuurlijk wel jullie grenzen kennen.'

'Maar ik weet niet hoe ik hem moet aanpakken! Hoe heb jij dat gedaan met Sem?'

Liselotte glimlachte. 'Die heeft best vaak straf gehad. Dan stuurde ik hem naar zijn kamer. Als hij iets deed wat niet mocht, wilde ik hem een poosje niet zien.'

'Ik denk dat Robbie het alleen maar leuk vindt om op zijn kamer te zitten.'

'Dan moet je een andere straf bedenken.'

'Maar wat?' riep Alicia wanhopig uit.

'Zijn speelgoed opruimen, bijvoorbeeld.'

'Poeh, dat zie ik hem echt niet doen.'

'Dan moet je je duidelijker opstellen. Hij moet weten dat je het meent!'

'Ha, hij lacht me gewoon uit,' zei Alicia.

'En wat doe jij dan?'

'Dan zucht ik en ga ik eten maken of wat anders.'

'En dus heeft hij je precies waar hij je hebben wil. Want wie ruimt de boel dan op?'

'Ik, natuurlijk!'

'Alicia, zie je dan niet dat hij met je speelt?'

'Ik kan er gewoon niet tegen!'

Liselotte pakte haar de fles water uit handen en nam een paar slokken. Daarna keek ze haar zus met een ernstig gezicht aan. 'Luister, ik ga je iets vertellen, waar je vast erg boos over wordt, maar ik doe het toch. Toen ik dertien werd, mocht ik voor het eerst een feestje voor grote meiden geven.' Ze glimlachte bij de herinnering. 'Ik had zes meisjes uit mijn klas uitgenodigd en we zouden eerst thuis bij ons wat drinken en taart eten. Daarna zouden we naar de bioscoop gebracht worden. Ik was dolgelukkig en verheugde me er ontzettend op. Na de film zouden we bij ons thuis nog patat eten. Ma zou het zelf bakken. Dat vond ik het lekkerst. We kwamen heel laat thuis. Nou ja, voor ons was het laat, we waren nog maar dertien. We waren erg uitgelaten en giechelden wat af. De film was prachtig geweest en alle meiden vonden het een geweldig feestje. Ma stond in te keuken bij de frituurpan en toen kwam jij de trap af en stond je opeens in je pyjamaatje bij ons in de huiskamer. Je zag er natuurlijk schattig uit met die grote blauwe ogen en die prachtige krullen. Alle meiden begonnen te roepen en te gillen en wilden je op schoot hebben.'

'Ja, ik was drie!'

'Precies, echt een schatje om te zien. Iedereen was meteen weg van jou. Toen ma de kamer inkwam met een grote schaal met patat, zag ze jou staan. Het was nog in ons eerste huis met een aparte keuken. Ma vond het prachtig dat jij er ook was, maar pa, die achter haar aankwam met een bord kroketten, vond het niks. "Dit is Liselottes feestje," zei hij. "Alicia moet naar bed." Nou, toen waren de poppen aan het dansen. Jij rende gillend door de kamer heen en liet je niet pakken om in bed te stoppen. Ma gilde dat pa op moest houden en dat je ook best een paar patatjes mee kon eten en ik zat zowat te janken op de bank, want alle lol was er opeens af. Sommige meisjes begonnen ook te gillen en door de kamer te rennen en pa werd steeds kwader.'

'Nou, dat is dus precies wat ik bedoel,' zei Alicia. 'Zo zie ik dat ook met Robbie voor me. Vreselijk toch!'

'Vind je dat vreselijk?'

'Ja, ik zou me ontzettend schamen ten opzichte van het bezoek en voor jou was het ook niet leuk.'

'Schamen?'

'Ja, als André iets zou zeggen en ik zou precies het tegenovergestelde zeggen en dat er dan zo'n puinhoop van komt.'

'Daarom moet je dus vanaf nu duidelijk zijn tegen Robbie. En je moet samen met André regels opstellen. Ik kan me best voorstellen dat hij meer accepteert dan jij, omdat André ook een man is en misschien vroeger ook wel een echte kwajongen was, maar als je samen regels opstelt, moet hij er ook naar leven en op die manier weet Robbie precies waar hij met jullie aan toe is.'

'Dat klinkt mooi, maar als ik zeg dat hij zijn speelgoed op moet ruimen, doet hij het niet, dus wat helpt het?'

'Je zou kunnen zeggen: als je je speelgoed niet opruimt, krijg je straks geen drinken. Of bijvoorbeeld alleen water, geen frisdrank. En geen snoepje of geen toetje. En dat doe je dan ook niet. Of jij ruimt het op, waar hij bij is en je gooit alles in de container.'

'Wat? Ben je gek? Dat dure spul?'

'Ha, later haal je het er weer uit, maar dat zeg je niet. Je verstopt het gewoon minimaal een week.'

Alicia zuchtte. 'Ik weet het niet, hoor.'

'Meid, jongens zijn echt anders dan meisjes, en je zult van Robbie net iets andere dingen moeten accepteren dan van Else en Nina, maar er zijn echt grenzen en hij móét leren te gehoorzamen.'

'En zo heb jij van Sem een leuke jongen gemaakt?'

Liselotte schoot in de lach. 'Vraag dat over een paar jaar nog maar eens. Veertien is ie nu. Hij begint volgens mij al te puberen, dus, ha, dat kan nog wat worden.' Ze trok het rugzakje naar zich toe en haalde er twee sinaasappels uit, begon er een te pellen en stak die Alicia toe, waarna ze ook van de tweede de schil afhaalde. Ze zaten zwijgend van het heerlijke weer en het verse fruit te genieten.

Alicia zuchtte diep en keek naar de wolken. 'Ik voel me zo ellendig. Ik heb zelfs gesolliciteerd, terwijl ik niet eens van buitenshuis werken houd en ze wilden me nog hebben ook.'

Liselotte keek haar verrast aan.

'Stom, hè? Maar ik mis mamma zo dat ik dacht: als we meer geld hebben, kunnen we meer dingen doen, misschien mis ik mamma dan minder. Ik weet gewoon niet hoe ik mijn leven weer op moet pakken. Alles is zo verwarrend.'

'En wat nu?'

'Ik heb gebeld dat ik de baan niet neem. André heeft het me gelukkig uit mijn hoofd kunnen praten. Eigenlijk heb ik het ook prima naar mijn zin waar ik nu ben, maar ik dacht gewoon: ik móét iets doen, iets anders, om niet gek te worden.'

Liselotte knikte zwijgend, maar opeens lichtten haar ogen op. 'Zeg, hebben jullie al vakantieplannen?' vroeg ze enthousiast, terwijl ze het laatste partje in haar mond stopte.

'Ja, dat is dus een leuke vraag,' riep Alicia woedend uit. 'Echt een heel leuke vraag! Ik dacht dat we gezellig zouden doen, maar nee, jij moet de boel toch weer verpesten!'

4

'Lieve help, Alicia, wat is er met jou?' Liselotte keek haar zus verbaasd na, die met grote stappen van haar wegbeende. Wat had ze verkeerd gezegd? Ze had alleen maar onschuldig naar haar vakantieplannen gevraagd. Ach, vakantieplannen. Opeens begreep ze het. Tja, misschien was het wel suf van haar. Ze had er niet goed bij nagedacht. Het zat Alicia dus echt ontzettend dwars dat hun vader op vakantie wilde. Maar Liselotte vond het juist zo leuk voor hem en had helemaal niet aan hem gedacht toen ze de vraag stelde. Ze kwam overeind, deed de schillen in een zakje, stopte dat met de fles in haar rugzakje en hing de tas om. Ze keek in de verte en zag dat Alicia stil was blijven staan. Tja, ze kende hier de weg ook niet en toevallig was ze wel precies de verkeerde kant opgelopen. Zo kwam ze nooit thuis. Geduldig bleef Liselotte wachten tot Alicia weer bij haar was.

'Welke kant op?' vroeg ze nors.

'De andere,' zei Liselotte en begon te lopen.

Alicia bleef achter haar lopen, maar Liselotte stopte en Alicia botste tegen haar aan.

'Zo zouden we toch niet met elkaar omgaan? Ik vraag je gewoon heel belangstellend naar jullie plannen en daarmee bedoelde ik ook precies wat ik vroeg,' zei Liselotte.

'Ik kan het woord vakantie niet meer horen,' zei Alicia. Ze duwde Liselotte aan de kant en liep haar voorbij.

'Verwend kind,' zei Liselotte hardop.

Alicia bleef stokstijf staan. 'Zei je dat echt?'

'Ja, dat zei ik echt en ik meende het ook nog. Zodra jou iets niet aanstaat, begin je nukken te vertonen. Dat slaat toch nergens op!'

'Zie je wel dat je me niet mag?'

Liselotte greep haar zus beet en sloeg haar armen om haar heen.

'Praat toch geen onzin! En loop niet meteen weg als iets je niet aanstaat! Ik hou wel van je en laten we nog even gaan zitten om over pa te praten.'

'Jij zegt altijd pa,' mokte ze.

'Ja, dat is zo gegroeid en jij zegt pap en mamma. Ze waren ook verschillend tegen ons, dus misschien is dat ook zo gek nog niet. Wat heb je erop tegen dat pa op vakantie gaat? Het is toch juist fijn voor hem? Hij zit alle dagen maar verdrietig en alleen thuis.'

Alicia haalde haar schouders op.

'Nou?'

'Het is ... nou ja, ik kan er niets aan doen, maar ik mis mamma vreselijk en als pap drie weken weggaat, ben ik helemaal alleen!'

'Maar Alicia, je hebt André toch en je kinderen!'

'Dat weet ik wel en ik denk ook dat het niet eerlijk van mij is, maar zo voelt het!'

'Als ik het goed begrijp, vind je dus eigenlijk dat ma je in de steek gelaten heeft en dat neem je haar kwalijk. En dat reageer je af op pa en mij en misschien ook wel op André en de kinderen?'

Alicia zette grote ogen op, maar ze wendde haar gezicht af en leek in gepeins verzonken.

Het bleef een poos stil. Liselotte genoot van de heerlijke voorjaarsbries die door haar haren waaide en langs haar gezicht streek.

'Misschien is dat het inderdaad wel, ja,' zei Alicia zacht. 'Ik neem het mamma soms vreselijk kwalijk dat ze is gestorven en nu ik het hardop zeg, klinkt dat echt belachelijk. Alsof ze zelf dood wilde, maar dat wilde ze helemaal niet.'

Liselotte zweeg, maar knikte voorzichtig.

'Maar ik weet me soms geen raad. Mamma hielp me overal bij en nu moet ik alles alleen doen.'

'Dat is niet waar.'

'Pap heeft toch nergens verstand van. Hij strijkt zijn zakdoeken niet eens.'

Liselotte schoot in de lach. Het was misschien niet het juiste moment, maar ze kon er niets aan doen. 'Zo zijn mannen, toch. Die houden meestal niet van huishoudelijk werk. Rutger zou ook nooit zijn zakdoeken strijken als ik het niet deed. Hoewel, hij gebruikt altijd papieren zakdoekjes. Nou ja, bij wijze van spreken dan.' Ze graaide in de zak van haar felgekleurde windjack en haalde een pakje zakdoekjes tevoorschijn, stak het haar zus toe. Alicia haalde er gretig eentje uit en snoot haar neus.

'Ik vind het juist fijn voor pa,' ging Liselotte door. 'Hij is nog jong en helemaal gezond. Stel dat hij wel oud wordt, moet hij dan al die jaren, misschien wel twintig, stilletjes thuiszitten? Nee, laat hem maar gaan, vind ik en ik denk dat jij dat ook wel vindt.'

'Als het over een ander ging wel, ja en dat is niet eerlijk, maar zo is het. Mijn vader moet thuis blijven. Hij moet er voor me zijn.'

'Weet je wat?' Liselottes gezicht klaarde helemaal op. 'We geven pa een mobiele telefoon. Dan kun je hem elke dag bellen als hij op vakantie is. Dan is hij toch niet echt weg. Vind je dat geen geweldig idee?'

Alicia keek haar verwonderd aan en moest toen ook lachen. 'Je hebt gelijk. Dat is echt een goed idee! Maar dan moeten we wel zorgen dat hij een flink beltegoed heeft, want als ik hem vanuit Nederland bel, moet hij in Frankrijk het gesprek betalen.'

'Dat doen we. Dat is geen probleem,' zei Liselotte opgelucht en vooral blij dat ze op dit lumineuze idee gekomen was. 'Kom, zullen we weer terugwandelen?'

Ze hadden meteen de daad bij het woord gevoegd en al de volgende dag een mooie telefoon voor hun vader gekocht. Omdat hij nog nooit mobiel gebeld had, zochten ze er een uit die niet te ingewikkeld was en die ook wat grotere toetsten bezat. Niet dat hun vader al slechtziend was, maar hij had toch vrij grove vingers en ze waren bang dat hij die kleine toetsjes niet bedienen kon.

'Dan ga ik hem ook leren sms'en,' zei Alicia die echt heel blij was met het idee van de telefoon.

'Leuk!' zei Liselotte minstens zo opgetogen.

Helaas reageerde Loet minder enthousiast dan Alicia hoopte.

Meteen nadat ze een paar dagen later weer thuis was, ging ze naar hem toe. 'Kijk eens, pap, een cadeautje van Liselotte en mij. Hebben we samen gekocht.'

Loet keek verrast. 'Wat aardig, zeg. En wat spannend.' Hij kuste haar en keek haar warm aan. 'Hebben jullie het leuk gehad?'

'Ja,' zei Alicia. 'Leuker dan ik van tevoren gedacht had, maar soms ook moeilijker.'

'O?' Loet keek haar onderzoekend aan.

'We hebben veel gepraat. Over van alles en nog wat. En dat was soms niet gemakkelijk.'

Hij vroeg niet verder. Als Alicia het wilde vertellen, deed ze dat wel, maar hij wilde niets forceren. Hij was veel te blij dat zijn twee dochters een weekje samen hadden opgetrokken en hij had bovendien het volste vertrouwen in Liselotte, die zo veel verstandiger en daadkrachtiger was dan Alicia.

'Wil je koffie?'

'Nee, nee, kijk nou eerst eens wat we voor je gekocht hebben!'

Loet glimlachte en peuterde het cadeaupapier van het doosje af, maar toen hij de afbeelding van de telefoon op het doosje zag staan, kreeg hij een kleur.

'Niet zeggen dat je hem niet wilt, pap.' Alicia legde die kleur verkeerd uit. 'Hij is juist hartstikke handig als je op vakantie gaat. Dan ben je weg, maar toch bereikbaar. We hebben er een extra groot beltegoed op gedaan, zodat ik vaak kan bellen.'

'Jij?'

'Ja, want als ik bel en jij bent in het buitenland, dan moet jij dat gesprek betalen. Dat klinkt misschien raar, maar zo is het. Toe, neem hem nou alsjeblieft aan.'

'Ik eh ...' Loet wist niet wat hij moest zeggen. Aarzelend maakte hij het doosje open en keek naar het toestel. 'Zo, zo, dit is wel een heel mooi ding.'

'Vind je wel? We hebben er uren over gedaan om de goede te vinden!' Alicia lachte. 'Dus je gaat hem wel gebruiken?'

'Hij heeft mooie duidelijke toetsen,' zei hij nadenkend, terwijl zijn vingers over de cijfers gleden.

'Pap, doe nou wat enthousiaster. Het is toch een geweldig idee dat ik je kan bellen als je er niet bent?'

Hij glimlachte. 'Dat is zo. Je hebt helemaal gelijk. En het is echt een mooi toestel, hij ligt prettig in mijn hand en de toetsen zijn gemakkelijk te vinden.'

'Kijk,' ze legde een briefje op tafel, 'dit is jouw nummer. En onze nummers hebben we er al ingezet. Als je in het geheugen bij de a kijkt, vind je mij en bij de l zie je Liselottes nummer staan. Je kunt er ook mee sms'en. Zal ik binnenkort eens een avondje langskomen om alles precies uit te leggen? Want je kunt naar je voicemail luisteren, berichtjes opslaan en bewaren. Je kunt ook zien wie je gebeld heeft en allemaal van dat soort dingen.'

'Zit er geen gebruiksaanwijzing bij?'

'Natuurlijk wel, maar ik dacht dat het gemakkelijker was als we het samen oefenden.'

'Prima, hoor,' zei hij lachend. 'Je komt maar een keer.'

'Dus je bent er toch wel blij mee?'

'Ja, meid, ik vind het hartstikke lief van jullie en een geweldig goed idee.'

Ze zuchtte opgelucht. 'Ik ben blij dat je hem mooi vindt. Wanneer ga je eigenlijk?'

Loet keek zijn dochter onderzoekend aan. Ze klonk alsof ze er opeens geen moeite meer mee had, maar meende ze dat ook? In elk geval hadden die vijf dagen bij Liselotte wonderen verricht, dat was duidelijk. 'Over twee weken. We vertrekken op een dinsdag, lekker rustig op de weg, hopen we.'

'En waar ga je naartoe?'

'Normandië en Bretagne.'

'Spreekt die Evert Frans?'

'Ja, als een inboorling.'

'Gelukkig maar,' lachte Alicia, 'dan kan hij tenminste de weg vragen.'

'Hoezo?' Loet fronste zijn voorhoofd.

'Omdat jij geen woord Frans spreekt en in Frankrijk spreken ze heus geen Engels, hoor. Zelfs al kunnen ze het, dan doen ze het nog niet.'

'Maar, meisje, ik spreek zelf ook Frans. Het is misschien wel wat verroest, maar vroeger sprak ik het heel goed.'

'Jij?' Ze keek hem met grote ogen aan. 'Waarom gingen we dan nooit naar Frankrijk op vakantie?'

Hij lachte. 'Omdat mamma dat niet wilde. Zij wilde met het vliegtuig naar Spanje en als ik het goed begrepen heb, vond jij dat altijd weer even prachtig.'

'Dat is zo, maar Frankrijk had ik ook heel leuk gevonden. Ik heb ook Frans gehad op school, weet je. Twee jaar maar, dus ik kan het niet goed, maar het heeft me altijd leuk geleken om eens naar Frankrijk te gaan.'

Loets hart maakte een sprongetje van vreugde toen hij deze woorden hoorde, maar hij zweeg en vertelde niet van zijn jeugddroom, nog niet. 'En waarom doe je dat dan niet met André?'

'Dat wil André best, maar ik vind de kinderen nog te klein om zo'n lange reis te maken. Voorlopig blijven we nog lekker in Nederland, hoor.'

'Onzin, weet je. Jij bent namelijk al eens in Frankrijk geweest en daar heb je niets van overgehouden. Met de auto! Je was net een jaar, je kon nog niet lopen.'

Even keek ze hem verbaasd aan, toen knikte ze. 'Kan het kloppen dat daar foto's van zijn?'

'Dat denk ik wel, ja.'

'Ik geloof dat ik die weleens gezien heb, maar herinneren doe ik het me niet.'

Zodra Alicia weg was, greep Loet de telefoon en belde Evert. 'Je zult het wel raar vinden,' zei hij lachend, 'maar ik heb een nieuwe mobiele telefoon en dus ook een nieuw nummer.'

Evert schoot ook in de lach. 'Dat vind ik zeker raar. Gisteren vertelde je me dat je voor het eerst van je leven een mobiele telefoon gekocht had en nu heb je alweer een nieuwe?'

'Precies, maar ik wist niet wat ik anders moest doen. Het blijkt dat mijn beide dochters als verrassing een mobiele telefoon voor me gekocht hadden. Ik durfde niet te zeggen dat ik er zelf ook juist een gekocht had. Alicia was zo blij dat ze op dit idee gekomen waren, ik wilde haar niet teleurstellen.'

'Daar kan ik me wel iets bij voorstellen. Nou, geef me dat nieuwe nummer dan maar, dan verander ik het meteen in m'n telefoon, zodat ik niet naar een telefoon bel die niet bestaat. Kan je die weer terugbrengen?'

'Geen idee, maar dat ga ik wel proberen.'

'Misschien moet je dat trouwens maar niet doen,' zei Evert.

'Hoezo niet? Wat moet ik met twee van die dingen? Ik was er eigenlijk al op tegen om er een te hebben. Ik vind zulke dingen een ongelooflijke inbreuk maken op iemands privacy.
Twee is echt te veel!'

'Inbreuk op iemands privacy? Dat zie ik niet zo. Die dingen zijn juist ontzettend handig. Je hoeft nooit meer naar een telefooncel te zoeken of gepast geld of een telefoonkaart te hebben. Je kunt bellen wanneer je wilt en waar je wilt!'

'Ja, daarom heb ik er uiteindelijk ook eentje aangeschaft, zodat ik mijn dochters af en toe kan bellen als ik in Frankrijk ben, maar zij kunnen mij ook bellen op elk willekeurig moment. Iedereen die mijn nummer heeft kan me bellen en ik vind eigenlijk: vakantie is vakantie, dan wil ik niet gestoord worden. Toen wij samen koffie zaten te drinken, ging jouw telefoon ook over.'

'En? Dat gesprek heb ik toch niet aangenomen?' zei Evert.

'Dat weet ik wel, maar het stoort. Je kijkt wie er belt en later moet je natuurlijk terugbellen en dan willen ze weten waarom je niet hebt opgenomen. Dat soort dingen. Als ik ergens zit koffie te drinken, wil ik niet gestoord worden.'

'Nou, sorry, hoor, ik wist niet dat je het zo erg vond.'

'Evert, dit bedoel ik niet persoonlijk, maar in het algemeen. Je bent nergens meer vrij als je zo'n ding op zak hebt. Daarom was en ben ik erop tegen. Maar nu ik zie wat het voor Alicia betekent, zal ik 'm natuurlijk altijd bij me dragen. Waarom moet ik trouwens die eerste ook houden?'

'Heeft iemand het nummer van dat toestel al, behalve ik dan?'

'Nee, niemand nog.'

'Mooi, dan koop ik hem wel van je over voor het huis in Frankrijk. Voorlopig is daar nog geen vaste telefoon. Ik laat die van jou dan gewoon permanent in dat huis liggen als een soort van vaste telefoon, maar alleen om te bellen als er iets aan de hand is, niet om gebeld te worden dus. Als een reservemogelijkheid. Mocht mijn eigen telefoon het niet meer doen omdat ie kapot is of omdat ik vergeten ben hem op te laden, is dat ding er nog. Dat is best een geruststellend idee, weet je, want het huis staat erg afgelegen. Geen buurman om even de telefoon te lenen of zo.'

'Oké, prima. Jij kent de situatie.'

'Klopt!' Evert lachte. 'En jij binnenkort ook. Ik kan er maar niet over uit dat je meegaat. Wat vinden je kinderen van je plannen?'

'Die heb ik nog niets verteld, zeg. Behalve dan dat ik op vakantie ga met jou, maar verder nog niets. Alicia was al helemaal van slag alleen van die vakantie, nee, dat kan altijd nog. Bovendien, Evert, heb ik nog geen beslissing genomen.'

'Ja, zeg, krabbel je terug?'

'Nee, maar ik wil het huis en de omgeving eerst met eigen ogen gezien hebben voor ik een definitieve beslissing neem en dat weet je.'

'Ja, dat weet ik, maar je klinkt zo bedachtzaam, zo aarzelend. Ik hoor niets meer van je enthousiasme. Je laat je toch niet door je dochters beïnvloeden, hè?'

'Nee, beslist niet. Díe beslissing heb ik meteen al genomen toen je me van je plannen vertelde. Als ik besluit dat ik met je in zee wil, dan doe ik dat ook. Daar kan niemand me van weerhouden, zelfs Alicia niet. Man, ik droom er zelfs van. Ik vind het zo spannend, zo geweldig, dat ik er helemaal opgewonden en zenuwachtig van ben. Op mijn leeftijd nog aan zoiets fantastisch beginnen. Maar voorlopig kan ik het nieuws hier nog niet kwijt en moet ik overdag dus doen alsof ik alleen maar op vakantie ga. Misschien dat ik daarom niet meer zo enthousiast klink, maar elke avond bekijk ik de foto's en gaat mijn fantasie met me op de loop. Als het huis maar half zo mooi is als je vertelde en de foto's laten zien, ben ik al gelukkig. Dus maak je maar niet bang, het gaat zeker door.'

Evert liet een duidelijke zucht van opluchting horen. 'Gelukkig, Loet. Het idee dat ik niet alles in mijn eentje hoef uit te voeren en vooral de gedachte dat jij dan die ander bent, dat maakt me zo blij en nog enthousiaster dan ik al was. Gelukkig dus. Hoe laat zal ik die dinsdag bij je zijn?'

'Zie maar. Je mag ook maandag wel alvast komen, zodat we dinsdag echt bijtijds kunnen vertrekken.'

'Dat is een goed voorstel. 's Avonds tussen acht en negen? Na het eten in elk geval.'

'Prachtig. Ik verheug me echt!' Loet legde glimlachend de hoorn op het toestel. Ja, hij verheugde zich echt! Zestig was hij en plotseling stond hij op het punt zijn jongensdroom te verwezenlijken. Hij kon er af en toe nog niet met zijn hoofd bij dat het echt zo was en telkens als hij erover nadacht, voelde hij zijn hart sneller slaan. Hij vond het zo fantastisch. Hij had maar een angst, en dat was natuurlijk niet gek als je een jaar geleden je vrouw naar haar laatste rustplaats had gebracht: dat hij ook ziek zou worden. Hij hoopte dat hij nog een aantal jaren die sterke man mocht blijven die hij zich nu nog voelde.

Zijn blik viel op de mobiele telefoon van Alicia en Liselotte en hij trok de handleiding naar zich toe. Toen hij in de winkel was om zelf een toestel te kopen, had de verkoper hem minstens een uur lang uitgelegd hoe alles werkte en wat hij ermee kon. Dit toestel zag er anders uit, maar het principe zou toch wel hetzelfde zijn? Zijn ogen gleden over de tekst, zijn vingers over de toetsen. Hij wist wel dat Alicia hem wilde komen instrueren, maar hij hield er nu eenmaal van de dingen zelf te leren. Voor zijn gevoel werkte dat beter. Als je zelf uitzocht hoe iets werkte, onthield je het beter, althans dat was zijn eigen ervaring. Grinnikend dacht hij terug aan de wasmachine, die hij zijn hele leven nog niet had aangezet, tot Paula ernstig ziek werd. Met moeite probeerde ze hem te vertellen hoe hij de bonte was gedraaid kreeg, met moeite, ja, omdat het te vermoeiend voor haar was. Maar de volgende dag was de witte aan de beurt en stond hij opnieuw met zijn handen in het haar en besefte hij dat het weinig uitmaakte als Paula hem zei welke knopjes en welk zeeppoeder hij moest gebruiken. Hij was prima in staat instructies op te volgen, maar daar leerde hij weinig van. Op zijn gemak was hij er toen voor gaan zitten en had hij de hele handleiding van de wasmachine bestudeerd en sindsdien deed hij elke was zelf en hij had nog nooit verkleurde of gekrompen kledingstukken uit de machine gehaald!

'Ik heb ons cadeau meteen gebracht toen ik weer thuis was,' zei Alicia 's avonds opgetogen tegen haar zus in de telefoon.
'En?'
'Nou, eerst leek hij er niet echt blij mee, maar later leek hij van mening te veranderen. Hij heeft beloofd hem te gaan gebruiken. Ik ga zeer binnenkort een avondje naar hem toe om alles uit te leggen, want dat is natuurlijk veel te moeilijk voor hem. Hij heeft nog nooit zo'n telefoon gehad en zal wel geen idee hebben wat hij er allemaal mee kan.'
'Mooi. Zelfs ik vind het een geruststellende gedachte dat we hem toch kunnen bereiken als hij niet thuis is,' zei Liselotte. 'En hoe was het om weer bij André en de kinderen te zijn?'
'Goed. Ik moet je echt nog een keer bedanken voor de fijne dagen. Af en toe was het wel erg moeilijk, maar ik moet zeggen dat onze gesprekken me goed gedaan hebben. Toch is het fijn om weer thuis te zijn. Ik had het niet zo door toen ik bij jou was, maar ik had André en de kinderen best gemist.'
'Dat klinkt geweldig, Alicia. En, meid, als je ergens nog over door wilt praten, moet je het gewoon zeggen, hoor. Je bent niet alleen, ik ben er ook nog!'
'Dat weet ik nu wel, ja en ik zal proberen het te onthouden,' zei Alicia. Ze stond ondertussen met een vragend gezicht op. Vanuit haar handtas hoorde ze een geluidje komen. Iemand stuurde haar een sms'je en dat was ze 's avonds niet gewend. Terwijl Liselotte vertelde dat Minke weer een goed cijfer op school gehaald had,

haalde Alicia haar mobiele telefoon tevoorschijn. Haar ogen werden zo groot als schoteltjes. 'Het komt van pap!' riep ze uit.

'Wat bedoel je?' vroeg Liselotte verbaasd.

'Dat sms'je! Wacht even, joh.' Alicia bekeek de tekst. 'Hij sms't: "Alles goed? Hier wel, liefs, je vader." Je vader, schrijft hij, vind je dat niet gek?'

'Bedoel je dat pa je ge-sms't heeft?'

'Ja, dat zeg ik toch! Maar hij schrijft: je vader. Dat is raar!'

Liselotte schoot in de lach. 'Meid, dat zal wel komen omdat het zijn eerste sms'je is. Hij vindt het vast zo eng, dat hij er vormelijk van geworden is. Maar wel erg knap dat hij zelf ontdekt heeft hoe je dat moet doen.'

Alicia knikte, maar ze kon er niets aan doen – een groot en zwaar gevoel van triestheid overviel haar. Ze had haar vader zo graag willen helpen om met zijn nieuwe telefoon te leren omgaan, maar hij had zelf al uitgevonden hoe het moest. Ze voelde dat hij afstand van haar nam, dat hij bezig was zijn eigen weg te gaan. Weg van Alicia. Ze voelde zich plotseling vreselijk alleen.

5

'Vervelend joch! Wil je dat weleens laten?!' riep Alicia vertwijfeld tegen Robbie uit, maar onverwachts hoorde ze Liselottes stem in haar achterhoofd. 'Niet schreeuwen, blijf rustig, laat vooral zien dat jíj de baas bent, niet hij.' En haar vader die zei: 'Ik weet maar één ding te zeggen: wees consequent.' Liselottes stem: 'Wil je dan echt dat hij net zo'n verwend kind wordt als jij? Een kind dat altijd zijn zin krijgt en later niet op zichzelf kan wonen, omdat ie aan zijn moeder hangt?' Die woorden hadden erin gehakt, Alicia voelde het nog. Verwend kind. Dat was zíj geweest. Dat had Liselotte over haar durven zeggen en het ergste was, dat Alicia heel goed wist dat haar zus gelijk had. 'Hou op!' gilde ze tegen Robbie, die het blijkbaar prachtig vond dat zijn moeder niet meer op hem lette en nu de jam niet alleen op het tafelkleed smeerde, maar ook op zijn gezicht.

Mismoedig liet ze zich op een eetstoel zakken. Else en Nina hadden hun boterhammen al op en waren buiten aan het spelen. Het was prachtig weer en het was duidelijk dat het volop voorjaar was. Robbie wilde meteen met hen mee naar buiten, maar dat had Alicia niet toegestaan. Hij moest eerst zijn boterham opeten. Nou, dat deed hij dus niet. Met zijn vingertjes smeerde hij de jam van zijn brood op het tafellaken en nu met beide handjes in zijn gezicht. 'Geef hem straf, een geschikte straf, die hij ook als straf voelt,' hoorde ze Liselottes stem zeggen. 'Blijf kalm!'

Ze zuchtte en keek naar Robbie, haar jongste kind. Ze was zo blij geweest dat ze ook een jongetje gekregen had na de twee meiden die eerst gekomen waren. En ze hield van hem met heel haar hart. Waarom had ze dan zo'n moeite met hem? Was dat altijd zo geweest? Heel misschien wel, realiseerde ze zich nu. Hij was echt vanaf de geboorte anders geweest dan zijn zusjes. Maar ja, toen was mamma er nog geweest om hem op te vangen, zodat Alicia er niet echt veel van merkte. En zelf was ze nu natuurlijk ook al een jaar niet in haar gewone doen. Veel langer zelfs al, vanaf de dag dat ze hoorde dat haar moeder kanker had en niet meer lang te leven.

Straf. Niet schreeuwen. Rustig blijven. Opeens wist ze het. Ze kwam overeind en liep om de tafel naar Robbie toe. 'Kom mee, jongeman, jij moet gewassen worden. Je hele gezicht en zelfs je haren zitten onder de jam. Zo kan je straks niet weer naar school.' Ze pakte hem bij een arm en trok hem van de stoel.

Robbie begon als een gek te schreeuwen en opeens voelde Alicia dat ze moest lachen. Dit was misschien wel een heel goed idee geweest. Robbie had een grote hekel aan haren wassen. Ook al had ze de zachtste kindershampoo voor hem gekocht, hij bleef er een hekel aan houden. Ze nam hem onder een arm en sjorde hem de trap op naar de badkamer. Ze moest hem stevig vasthouden, want hij spartelde als een gek. Zonder iets te zeggen kleedde ze hem uit. Hij deed er alles aan om te ontsnappen, maar Alicia had de badkamerdeur op slot gedraaid en zo sterk waren zijn kleine vingertjes nog niet dat hij die snel en gemakkelijk open kon draaien.

Ze zette de douche aan en voelde of het water de goede temperatuur had. Robbie stond krijsend in het verste hoekje, maar Alicia voelde dat ze dit moest doen. Ze deed hem er immers geen pijn mee. Het water was lekker warm. 'Kom hier,' zei ze. 'Je bent vies, dus je moet gewassen worden.'

'Nee!' gilde hij. 'Nee, ik wil naar school.'

'Als je schoon bent. Juf wil ook geen vieze kindjes in de klas.'

'Maar ik wil niet haartjes wassen!' gilde hij. Hij sloeg wild met zijn armen en probeerde haar met zijn voeten te schoppen.

'Ik wil geen vies kind,' hield Alicia vol en duwde hem ten slotte toch onder de douche, waar hij opeens vrij rustig werd. Misschien had hij gedacht dat het water ijskoud was, vroeg ze zich af, maar het gaf haar de gelegenheid wat shampoo op haar ene hand te doen.

Hij dacht zijn kans schoon te zien en wilde spiernaakt en kletsnat langs haar heen glippen, maar ze greep hem met haar linkerhand en smeerde zijn haren met haar rechterhand in tot ze schuimden. Met een washandje maakte ze zijn gezicht schoon. Daarna spoelde ze alle schuim grondig weg en draaide de kraan uit. Robbie schreeuwde niet meer en protesteerde niet meer en Alicia? Die was de rust zelve. Ze herkende zichzelf niet, was verrast over haar eigen gedrag, maar maakte er gebruik van en droogde de kleine jongen helemaal af. Ze draaide de badkamerdeur van het slot, keek hem aan en zei: 'Kom, we gaan naar jouw kamer om schone kleren te pakken en aan te trekken.' Ze stak haar hand uit, maar hij pakte hem niet, wel liep hij keurig achter haar aan naar zijn kamer. Sjonge, dacht Alicia verbaasd en verwonderd, ik heb gewonnen!

Toen hij weer helemaal aangekleed was en ze zelfs zijn haren gekamd had, boog ze zich naar hem toe en kuste hem op zijn wang. 'Je bent een lieve jongen.'

Hij begreep dat ze klaar was en rende zijn kamer uit, de trap af en voor Alicia ook beneden was, was Robbie al op de glijbaan geklommen en liet hij zich naar beneden glijden. Ze keek glimlachend naar hem en bleef zich verbaasd voelen. Altijd had ze geschreeuwd en zich machteloos gevoeld. Dit was de eerste keer dat ze zich zo rustig en zelfs goed had gevoeld. Ze had inderdaad duidelijk laten zien wie de baas was en het grappige was, ze had zelf ook gevoeld dat zij de baas was en niet hij.

Alicia draaide zich om en ruimde de eettafel af. Daarna was het de hoogste tijd om de kinderen weer naar school te brengen, al liepen Else en Nina vaak ook wel zonder haar. De school was vrij dichtbij en ze hoefden geen gevaarlijke straat over te steken. Maar ze moest ze er wel even op attent maken dat het tijd was. Ze liep naar de voordeur en deed hem open. Nina kwam juist de voortuin in. 'We moeten naar school,' zei ze.

'Dat klopt,' lachte Alicia. 'Roep je Else even?'

'Dat heb ik al gedaan. Waar is mijn appel voor vanmiddag?'

'Waar denk je?' vroeg Alicia en fronste haar wenkbrauwen. Sinds ze bij Liselotte had gelogeerd, zag en hoorde ze alles met andere ogen en oren. Net alsof ze door de ogen van Liselotte keek. Dit was ook zoiets. Dat Nina vroeg waar haar appel lag. Ze wist heel goed dat die op het aanrecht lag. Daar lag die altijd. Tot Alicia hem ophaalde en aan haar gaf. Terwijl Nina zes was en heel goed zelf die appel op kon halen. Verwende ze dan al haar kinderen? 'Je appel ligt op het aanrecht,' zei ze zacht. 'Haal je hem zelf even op?'

Nina keek haar duidelijk verbaasd aan, maar zei niets, deed wat haar moeder gevraagd had.

Kijk, dat was het verschil met Robbie. Die had dat nooit gedaan. Maar Alicia moest er toch maar eens meer over nadenken hoe zij haar kinderen opvoedde. Afhankelijk, onzelfstandig, zo had Liselotte haar genoemd. Omdat ze nooit wat had hoeven doen. Omdat mamma altijd alles voor de "kleine" Alicia gedaan had. En zo deed ze nu zelf ook. Of niet? Natuurlijk niet, ze hield van haar kinderen en wilde gewoon goed voor ze zorgen! Ze waren nog klein. Dan kon zij als moeder hen die appel toch wel aanreiken? Die hoefden ze niet zelf op te halen, toch? Ze zuchtte en haalde de appel van Else op. 'Ik kom zo,' zei ze, nadat ze Else en Nina allebei de voordeur uitgeduwd had. 'Ik neem de fiets met Robbie, want ik moet naar m'n werk. Oma haalt jullie straks van school. Niet vergeten, hoor!' Ze draaide de deur op slot, pakte haar jas en handtas en liep door het huis naar de schuur aan de achterkant. Ze zette haar fiets buiten en keek verward de tuin in. Waar was Robbie opeens? De kleine glijbaan lag er stil en verlaten bij, net als de zandbak. Ze liep om de schuur heen, maar ook daar was hij niet. 'Robbie!' riep ze. 'We gaan naar school!' Meestal kwam hij meteen aanrennen als ze riep, maar nu bleef het stil. Angstaanjagend stil. 'Robbie!' gilde ze terwijl ze hun tuin door rende, die niet echt groot te noemen was. 'Robbie!' Paniek kneep haar keel dicht. Wat kon er gebeurd zijn? Ze rende op het hekje achter in de tuin af, maar dat zat stevig dicht. Toch opende ze het en liep het paadje in. 'Robbie!' riep ze met verstikte stem, maar er kwam geen reactie.

'Hé, Alicia, maak je toch niet zo druk,' riep een buurvrouw vanuit de tuin. 'Hij zit natuurlijk bij zijn opa!'

Opa? Maar dat kon niet. Opa was op vakantie. Al een hele week en dat wist Robbie! Toch haastte ze zich naar haar vaders tuin, drie huizen verderop en inderdaad, daar zat hij. Midden tussen de narcissen, waarvan het merendeel gebroken of geknakt was. Zijn handjes en zijn toetje vol zwarte aarde. Was hij over het hekje heen geklommen? Of tussen de struiken door gekropen? 'Robbie!' riep ze uit, maar hoorde de stem van haar zus en maande zichzelf aan tot kalmte. Maar er was nu geen tijd voor kalmte, hij moest naar school en zij naar haar werk. Ze had zin hem een pak slaag te geven, maar ze wist hoe André daarover dacht en hield zich in. 'Robbie, kom hier!' zei ze zo kalm mogelijk.

Hij keek haar triomfantelijk aan en ze zag dat hij plezier om haar had. Hij speelt met je, had Liselotte gezegd en dat was waar! Ze zag het nu zelf ook. Ze liep op hem af, tilde hem op zonder naar zijn protesten en gegil te luisteren en nam hem mee naar hun eigen huis. Ondertussen piekerde ze zich suf wat ze doen moest. Was mamma er ... Nee, dat mocht ze niet meer denken, toch? Maar wat was dat moeilijk! En waarom moest pap juist nu op vakantie zijn? Als hij thuis was geweest had hij haar mooi kunnen helpen! Zie je, iedereen liet haar in de steek. Even verslapte ze en dat voelde Robbie, die zich loswurmde en ervandoor rende. Ze bleef staan en keek hem na. Dit kon zo echt niet langer. Hij moest aangepakt worden en zij was degene die dat moest doen, maar hoe?

Ze liep hun tuin in, deed de aangebouwde schuur weer van het slot en haastte zich naar binnen, naar de keuken, waar ze een washandje onder de kraan hield en een handdoek pakte. Daarna liep ze weer naar buiten, hing handdoek en washandje over haar stuur en riep: 'Robbie, mamma gaat weg. Ik moet werken. Tot vanavond, hoor. Het huis is op slot, je kunt er niet in.' Ze pakte haar fiets en reed hem de tuin uit, via het gangetje tussen hun huis en dat van de buren kwam ze op straat. Ze keek voorzichtig achterom, maar hij kwam niet. Ze kon hem hier toch niet alleen laten? Nee, onmogelijk. Ze zette een voet op de trapper en opeens hoorde ze geluiden. Daar was hij toch! Aarzelend kwam hij op haar af en toen hij dichtbij genoeg was, greep ze hem en zette hem in het stoeltje achter op de fiets.

'Zand is vies,' mopperde hij. Ze zag dat hij probeerde zijn mond leeg te spugen, het slijm gleed over zijn kin.

'Jíj bent vies,' zei ze en stapte op.

'Ik wil schoon!' riep hij en trok met twee handen aan haar jas, maar ze liet zich niet van het zadel trekken en fietste kwaad door. Al snel was ze bij de school, waar het hele plein leeg was. 'Zie je, alle kinderen zijn al binnen, behalve Robbie.'

'Ik wil niet naar school. Robbie is vies! Zand is vies! Ik wil schoon!' en hij spuugde haar tegen haar lichtgekleurde jas.

'Te laat, jongeman,' zei ze behoorlijk rustig. 'Je was schoon. Je hebt jezelf vies gemaakt, nu heb je zelf pech.' Ze pakte het washandje en maakte voorzichtig zijn gezichtje en handen schoon. Met de handdoek droogde ze alles af. 'Je bent heel stout geweest. Je hebt opa's mooie bloemen kapot gemaakt en je komt te laat op school. Als mamma vanavond thuiskomt van het werk, moeten we daarover praten en dan krijg je straf.'

'Zand in mijn mond!' gilde hij alsof hij niets gehoord had.

'Oké, je mag binnen een slokje drinken en dan ga je naar de klas, als je maar weet, dat ik dit niet vergeet.' Ze tilde hem uit het stoeltje, maar hield hem stevig vast. Zo liepen ze naar de school, waar ze eerst naar de toiletten ging om hem zijn mond te laten spoelen en hem toen naar zijn groep bracht en haar excuses aanbood. Vervolgens haastte ze zich naar haar werk waar ze buiten adem, maar nog net op tijd aankwam.

'Robbie is zo vervelend,' verzuchtte Alicia tijdens een korte pauze tegen Lucille, een van haar collega's.
'O? Hoe oud is hij? Vier?'
'Ja.'
'Nou, dat wordt dan nog wat als ie gaat puberen. Mijn zoon is vijftien en brutaal! Ik weet af en toe niet wat ik hoor en al helemaal niet wat ik met hem aan moet!'
'Leuk vooruitzicht,' zei Alicia schamper, maar hield verder haar mond. Ze was het niet gewend persoonlijke dingen op haar werk te vertellen. Ze moest vanavond met André praten. Hij was haar man en Robbies vader en had haar eigen vader niet gezegd dat ze het met hem moest bespreken? Ze moesten een soort van reglement opstellen, zoals Liselotte had gezegd. Zodra ze thuis was, zou ze er met hem over beginnen.

Daar kwam echter niets van terecht, want Robbie bleek er niet te zijn en André, die de kinderen die dag bij zijn ouders op zou halen, zat met Else en Nina aan de eettafel. Midden op tafel stond een stapel bakjes van de Chinees. Naast de stapel een grote oranje vlek in het tafellaken.

'Tja,' zei André verontschuldigend, 'ik had zin ons eens te verrassen, maar meneer was het er niet mee eens. Hij zei dat het vies was en dat zijn mond vies was en hij sloeg zo hard met een lepel ...' Hij knikte naar de oranje sausvlek.
'En waar is hij nu?'
'Op de gang. Zoiets tolereer ik niet.'
'Niet?' Alicia keek hem fronsend aan. 'Moest je er deze keer niet

om lachen?'

'Alicia, dit was niet om te lachen. Er zijn heus wel grenzen.'

'Daar wou ik het dan vanavond eens met je over hebben.'

'Gaan we nou eten of niet?' onderbrak Nina hen. 'Het is al bijna koud en koude Chinees lust ik niet.'

'Ja, sorry, schep maar gauw je bord vol. Ik zal Robbie even ophalen, maar trouwens,' ze keek André aan met een blik om begrip en hulp, 'hij is vanmiddag erg stout geweest en ik heb hem nog straf beloofd. Dus dat moet ook nog geregeld worden.'

'Ja, zeg, als het zo moet, hoef ik geen eten.' Else schoof haar bord weg en stond op.

'Else, ga zitten,' zei André,

'Nee, sorry,' viel Alicia tussenbeiden. 'Laat haar Robbie maar even ophalen, dan kunnen we alsnog gaan eten.'

Else trok haar wenkbrauwen hoog op, maar deed wat haar moeder had voorgesteld. Robbie was inderdaad in de gang en hij kwam rustig met Else mee. Hij keek zijn ouders niet aan, maar ging heel kalm op zijn stoel zitten. André begon de borden vol te scheppen. Er heerste een drukkende stilte. Alicia wist niet hoe ze die moest doorbreken. Er ging van alles door haar hoofd. Eigenlijk was er veel te veel gebeurd. Ze had Robbie straf gegeven, ze had een gevoel gehad alsof ze hem de baas kon en dat was een goed gevoel geweest, tegelijk voelde ze zich alleen en in de steek gelaten. Eigenlijk was het te veel, al die gevoelens door elkaar en over elkaar, en ze wist dan ook niets te zeggen op dat moment.

'Niet lekker!' zei Robbie en hij schoof zijn bord opzij. 'Ik wil appelmoes!'

Alicia maakte aanstalten om op te staan en een pot appelmoes voor hem te halen, maar daar was Liselottes stem weer: 'Niet altijd meteen voor hem vliegen, verwen hem toch niet zo. Hij wordt er echt een vervelende jongen van.'

Ze liet zich weer zakken, trok zijn bord naar zich toe en keek ernaar. 'Wat vind je niet lekker?' vroeg ze.

'Alles niet! Ik wil appelmoes.'

Ze keek naar André, maar zag de gezichtjes van Else en Nina. Het was duidelijk dat zij dit niet leuk vonden. Ze vonden Chinees eten altijd een feest, maar het feest werd verpest. Opeens herinnerde ze zich dat ze wel vaker zo keken en altijd als zij op Robbie mopperde. Ze hoorde de stemmen van Liselotte en haar vader door elkaar heen in haar hoofd en dacht dat ze gek werd. Ze had het veel te ver laten komen met Robbie, veel te ver! 'We eten vanavond Chinees,' zei ze kalm, maar duidelijk. 'Iedereen, dus jij ook. Je hoeft niet alles op te eten, alleen wat je lust, maar je krijgt geen appelmoes.'

Robbie werd boos, ze wist het van tevoren en trok nog net op tijd zijn bord weg, anders was zijn handje er middenin terechtgekomen. 'Oké, dan eet je niet. Kom, ik breng je naar bed.' Ze stond op, maar André hield haar tegen met zijn stem. 'Dat doe ik wel, Alicia. Eet jij maar lekker door met de meiden. Jullie zijn juist zo gek op Chinees.' Hij stond op, greep Robbie beet en verdween de kamer uit. Ze keek hem perplex na, maar realiseerde zich tegelijk dat hij dit al veel vaker had willen doen, maar dat het dan nooit mocht van haar. Altijd had ze Robbie de hand boven het hoofd gehouden, altijd had ze hem "beschermd", maar dat was goed fout geweest. En het was geweldig dat André hem naar boven bracht. Zo wist Robbie dat zijn ouders één lijn trokken, precies zoals pap gezegd had!

'Sorry, meiden,' zei ze nadat de deur achter de twee mannen was dichtgevallen. 'Ik weet heel goed dat dit niet gezellig is, maar het moet even. Robbie gaat echt te ver.'

'Poeh, dat doet hij altijd en dan zeg je er niets van,' zei Else met een verongelijkt gezicht.

'Je hebt gelijk, dat was fout van mij en dat spijt me. Kun je mij de bak met nasi nog even toeschuiven?'

De sfeer werd niet meer echt gezellig. Nadat André weer beneden gekomen was, hoorden ze voortdurend Robbie van boven schreeuwen dat hij uit bed wilde. Het was echter wel verbazingwekkend dat hij dat niet deed. Hij had blijkbaar zelf ook door dat hij een grens gepasseerd was. Na het eten liep Alicia snel naar de tuin van haar vader, waar ze de afgebroken narcissen opraapte en de geknakte afknipte. Ze probeerde de aarde wat te fatsoeneren en nam de bloemen mee naar huis. Ze zette ze in een vaas op tafel, zodat Robbie ze de volgende ochtend wel moest zien. André had de tafel afgeruimd en was naar boven gegaan met Else en Nina. Alicia zette de borden in de afwasmachine en zette het apparaat aan. Daarna ging ze ook naar boven. André was al bezig een verhaaltje voor te lezen. Robbie stoorde hen de hele tijd door na elke zin om zijn vader te roepen. Alicia ging zijn kamer in.

'Mamma stom,' riep hij. 'Mamma is echt stom!'

Ze ging op de rand van zijn bed zitten en keek hem kalm aan. 'Robbie is stout geweest,' zei ze. 'Je hebt opa's bloemen kapot gemaakt en daar zal opa heel verdrietig over worden.'

'Opa is weg. Naar Fankijk.'

'Ja, maar als hij terugkomt en ziet dat de bloemen kapot zijn, zal hij niet blij zijn. Ik ben ook niet blij. Ik wil niet dat je zulke stoute dingen doet en ik hoop dat je morgen weer een lieve jongen bent.' Ze wilde hem niet nog extra straffen voor de bloemen. Hij lag immers al zonder eten in bed.

'Robbie heeft honger. Ik wil eten.'

'Nee, Robbie, het eten is op.' Het deed haar pijn om dat te zeggen. Ze kon zich immers goed voorstellen dat hij nog trek had en normaal gesproken zou ze dit ook niet gedaan hebben, maar dat was dus juist fout geweest. 'Je mag nog een bekertje water,' zei ze. 'Is dat goed?'

'Ik wil geen water, ik wil eten.'

'En ik wil jou niet meer horen. Als ik je wel hoor, dan ...' Ja, dan wat? Wat moest ze toch met hem beginnen? Ze had hem nog nooit gestraft. Ze wist gewoon niet hoe dat moest! 'Als ik je wel hoor, dan ruim ik je speelgoed op, zo goed dat je het niet meer terug kunt vinden. Heb je dat goed gehoord, Robbie?'

Hij keek haar verbaasd aan, alsof hij haar niet begreep.

'Je mooie legoauto ruim ik op, heel ver weg, oké?' Ze boog zich naar hem toe en kuste hem. 'Mamma houdt heel veel van je, maar je moet wel een beetje liever zijn. Dag, schat.' Ze stond op en liep de kamer uit. Ze verwachtte een enorme huilbui of geschreeuw, maar er gebeurde niets. Ze deed de deur achter zich dicht en liep naar de meisjeskamers, waar André juist het boek dichtsloeg. Ze lachte naar Else en Nina en gaf ze een kus. 'Slaap lekker en tot morgen!'

Daarna ging ze weer naar beneden en zette koffie. Tijd voor een moeilijk gesprek met André.

6

'Pap, waar ben je? Hoe gaat het? Is het mooi? Heb je lekker weer of regent het?' Alicia kon bijna niet ophouden met vragen en Loet kreeg amper de kans er iets tussendoor te zeggen. Dus lachte hij maar wat en wachtte tot ze klaar was met het afvuren van vragen. Hij had trouwens grote bewondering voor haar want ze had een enorme prestatie geleverd. Vier dagen had ze hem niet gebeld! Die weddenschap had hij verloren, als hij die was aangegaan.

'Gaat het goed met jou en Evert? Je had hem al zo lang niet gezien? Is hij nog wel een leuke vriend? Hoe is het nou, pap?'

'Wil je het echt weten?' vroeg hij opgewekt.

'Ja, natuurlijk, daar bel ik toch voor!'

'Je geeft me anders niet de kans iets terug te zeggen.'

'O.' Alicia hield haar mond van schrik dicht. Ze belde eigenlijk ook helemaal niet om te vragen hoe het met hem ging, ze wilde alleen maar zijn stem horen en horen dat hij haar miste, maar dat durfde ze niet te zeggen. Vier dagen had ze hem niet gesproken. Vier hele dagen! Veel te lang, maar ze had het volgehouden. De eerste dagen had ze elke dag twee keer gebeld, maar toen had haar vader gezegd dat ze minder moest bellen en minimaal een dag moest overslaan. Hij had vakantie en wilde daarvan genieten en even echt weg zijn van alles wat met thuis te maken had. Eén dag had ze toen niet gebeld, langer had ze het niet volgehouden, maar nu dus vier dagen. Veel te lang! Ze snapte zelf niet hoe het haar gelukt was. Helemaal niet doordat ze zo vol zat van de gebeurtenissen rond Robbie.

'Het is hier prachtig, Alicia. We zitten in Bretagne, vlak bij de stad Nantes. Aan de ene kant de Loire en aan de andere de Atlantische Oceaan. Echt zo mooi en indrukwekkend. Het weer is schitterend. Ik denk dat het hier nog meer voorjaar is dan bij jullie. Er bloeit hier ook al veel meer. Je kunt echt zien dat we hier zuidelijker zijn. We vermaken ons prima! En hoe is het met jou?'

'Ik mis je!' Het was eruit voor ze er erg in had. Dit had ze dus niet willen zeggen. Liselotte had nog zo gezegd dat ze hun vader vrij moesten laten, geen claim op hem leggen, niet zeggen dat hij terug moest komen.

'Ik jou ook, hoor,' zei Loet gemeend. 'En dat kleine kereltje van je! Hoe gaat het met hem?'

'Ach, pap,' verzuchtte ze, maar was tegelijk ontzettend blij dat hij het onderwerp zelf ter sprake bracht. 'We hebben heel zware dagen gehad.'

'Hoezo? Is hij ziek?' riep Loet ongerust uit.

'Nee, helemaal niet. Springlevend.' Ze viel even stil en Loet wachtte geduldig tot ze verder zou gaan.

'Hij is gewoon zo moeilijk, zo lastig en André en ik ... nou ja ... jij had toch gezegd dat ik dat met André moest bespreken en dat we samen op één lijn moesten gaan zitten en Liselotte zei dat ook en ... ach ... Ik ben veel te lief voor hem geweest en nu doen we steeds boos tegen hem. Hij krijgt straf en hij vindt het helemaal niet leuk en ziet wel aan ons dat we boos zijn en dan heb ik zo'n medelijden met hem en dan wil ik die straf weer opheffen en ... Ik had nooit gedacht dat opvoeden zo moeilijk was,' zei ze. 'Ik ben soms bang dat hij er vandoor gaat omdat we nu steeds op hem mopperen.'

'Maar je zegt toch zeker ook nog wel dat je hem lief vindt? Je moet hem echt wel blijven knuffelen en kussen, hoor. Ook als hij lelijk doet, moet je toch zeggen dat je van hem houdt. En als hij iets goeds doet of iets liefs, moet je hem belonen, hoor.' zei Loet.

'Belonen?'

'Ja, niet met snoep of speelgoed, maar met een extra knuffel en je moet trots aan André vertellen wat voor liefs hij gedaan heeft, maar wel waar Robbie zelf bij is natuurlijk. En dan moet André hem ook even een complimentje maken of een knuffel geven.'

'Waarom heb je dat nooit bij mij gedaan?' vroeg ze zacht.

'Wat bedoel je? Heb ik jou nooit geknuffeld?'

'Ja, elke dag! Ik bedoel: waarom heb je mij geen straf gegeven als ik vervelend was?'

Loet viel even stil en dacht terug aan vroeger, aan al die keren dat Alicia het als een verwend meisje op een krijsen zette en Paula maar weer toegaf, aan al die keren dat hij mopperde op Paula omdat ze Alicia verpestte. 'Dat wilde je moeder niet,' zei hij uiteindelijk. 'Ze was zo gek op je, ze kon je niet straffen en ik mocht het ook niet van haar.'

'Maar eigenlijk was dat dom,' stelde Alicia nu tot Loets grote verrassing vast. Hij knikte, maar zei niets. Hij wilde Paula niet nu na haar dood nog aanvallen, al had Alicia gelijk.

'Jij bent toch ook een leuke meid geworden, Alicia!'

'Een leuke meid misschien wel,' zei ze aarzelend, 'maar geen grote meid.'

Opnieuw viel er een stilte. Loet wist niet goed wat hij moest zeggen. Dit was zo teer, zo breekbaar. Alicia die eindelijk inzag dat ze zich anders moest gedragen en vooral dat ze Robbie anders moest opvoeden dan ze zelf opgevoed was. Hij wilde beslist geen verkeerde dingen zeggen, dus zweeg hij.

'Zit je hier?' Er viel een lange schaduw over Loet, die verschrikt opkeek. 'Och, Evert, ik ben aan de telefoon.'

'Sorry, dat zag ik niet.' Evert zette een glas rode wijn op het tafeltje naast Loets stoel en liep weer weg.

'Wat was dat?' vroeg Alicia.

'Evert zocht me, hij kwam een glas wijn brengen.'

'Zo, hé, je neemt het ervan.'

'Ja, ik heb vakantie, weet je.' Loet lachte opgelucht. Door Everts tussenkomst was de zware stemming omgeslagen. 'Ik vind het hier zelfs zo heerlijk, ik denk dat ik maar blijf.' Hij probeerde het als een grapje te brengen, maar Alicia begon te gillen. 'Nee, pap, dat doe je niet. Je komt gewoon over drie dagen terug zoals afgesproken. Ik heb je nu zo lang niet gezien. Pap, zeg dat je terugkomt!'

'Goed, meisje, ik kom terug.'

'Over drie dagen!'

'Ja, over drie dagen.'

Ze zuchtte luid. 'Oké, nou, doe Evert de groeten en fijn dat ik je stem gehoord heb.'

'Dat vond ik ook.'

'Echt?'

'Ja, echt, Alicia. Ik vind het heerlijk om jouw stem te horen. Ik houd van je, weet je!'

'Maar niet elke dag.'

Loet glimlachte. Het zat haar goed dwars dat ze niet elke dag had mogen bellen, maar het was goed zo. Niet alleen Alicia moest leren op eigen benen te staan, Loet ook. 'Ik houd elke dag van je, Alicia. Tot ziens, hè!' Hij verbrak de verbinding en pakte zijn glas, nam goedkeurend een slokje en stond op om Evert te zoeken. Genietend liep hij over het gras van de grote tuin, die begrensd werd door een laag stenen muurtje waaroverheen je bij goed weer heel in de verte de Atlantische Oceaan kon zien. Tot nu toe was het alle dagen goed weer geweest en had hij van het uitzicht genoten. Hij liep om een paar struiken heen en zag Evert op het terras bij het oude bakstenen huis zitten. Loet trok een stoel bij en nam tegenover hem plaats. Hij hief zijn glas op. 'Proost!'

'Problemen?' vroeg Evert.

Loet haalde zijn schouders op. 'Er wordt aan gewerkt, maar het kost even tijd.'

'Wat bedoel je?'

'Alicia begint eindelijk een beetje zelfstandig te worden.'

'Dus het gaat echt door?'

Loet keek hem met grote ogen aan. 'Waarom vraag je dat?'

'Omdat ik toch nog steeds bang ben dat je je terugtrekt. Zoals Alicia doet, zo angstig, zo claimend. Ik denk telkens dat je voor haar je plannen opzegt en gewoon in Eindhoven blijft wonen.'

'Man, dat zie je dan echt verkeerd. Zodra ik thuiskom, ga ik het mijn dochters vertellen, en meteen daarop zet ik het huis te koop. Je zult zien: over een paar maanden trek ik hier definitief in. Ik hoop nog van de zomer!'

'Dan zeg ik ook proost,' zei Evert en hij hief zijn glas op. 'Zullen we het dan nog eens over de tekeningen hebben?' Evert hoefde niet op te staan om de bouwtekeningen op te halen.

Hij had ze bij voorbaat al meegenomen en sloeg ze nu open op de grote houten terrastafel. Loet trok zijn stoel dichterbij en gleed goedkeurend met zijn ogen over de diverse details. 'Zouden we dat vakantiehuisje niet toch een stukje verder van ons huis zetten?' vroeg hij voorzichtig.

'Dat ben ik in principe helemaal met je eens,' zei Loet, 'maar zoals je weet heb ik een bodemonderzoek laten doen en er liggen iets verderop zulke grote, zware keien in de grond, daar kan geen huis op gezet worden. Of de keien moeten verwijderd worden, maar dat wordt veel te kostbaar.'

'Oké, dan laten we het zo.' Loet leunde achterover, nam opnieuw een slok van de wijn en keek langdurig om zich heen. De grote iets aflopende tuin, de blauwe lucht, de struiken en wilde bloemen en heel in de verte iets glinsterends, wat de Atlantische Oceaan betekende. Over een poosje was de helft van dit alles van hem. Dan was hij grootgrondbezitter in Frankrijk. Hij kon het ergens nog steeds niet geloven. Maar het voelde heerlijk. Hij lachte. 'En ze spreken hier zo'n heerlijk Frans,' zei hij. 'Ik houd van de manier waarop ze hier de woorden uitspreken. Echt, Evert, je hoeft je geen zorgen te maken. Ik kom!'

Maar hoe vertelde Loet dat aan zijn kinderen? Liselotte zou er geen problemen mee hebben. Die zou het waarschijnlijk alleen maar toejuichen. Maar Alicia? Loet voelde medelijden met haar, want ergens leek het er toch een beetje op dat hij haar in de steek liet. Eerst Paula, nu hij. Maar aan de andere kant vond hij dat hij het recht had om dit te doen. Wie weet hoeveel jaren hij nog had? Moest hij al die jaren thuis zitten verpieteren terwijl hem zo'n geweldige kans in de schoot geworpen werd?

Hij besloot het meteen de eerste avond te gaan vertellen. Dan was dat maar vast gebeurd.

'Mamma, mam! Opa is er! Opa is terug!' Nina en Else kwamen schreeuwend het huis binnen en verdwenen meteen weer toen ze zagen dat Alicia hen gehoord had. 'Opa?' riep ze verwonderd, terwijl ze op haar horloge keek, maar ze droogde snel haar handen af en rende de keuken uit, de straat op. De kinderen hadden gelijk. Even verderop stond de auto van haar vader en er stonden twee mannen naast. 'Pap,' zei ze zacht, terwijl de tranen haar in de ogen schoten. Hij was terug. Vroeger dan verwacht, maar wat belangrijker was: heelhuids! Ze haastte zich naar hem toe, maar ze kreeg in eerste instantie niet de kans hem te begroeten. Else en Nina hingen aan zijn benen en hij moest ze om beurten optillen en knuffelen. Daarna keerde hij zich naar zijn dochter. Hij zag haar vochtige ogen en raakte zelf ook even ontroerd. Hij sloeg zijn armen om haar heen en drukte haar dicht tegen zich aan. 'Het is fijn je weer te zien,' mompelde hij in haar oor en hij wist dat hij elk woord meende.

Evert stond het allemaal glimlachend te bekijken. Hij had op de avond voor hun vertrek al kennis gemaakt met Alicia, haar man en kinderen. Toen hij echter de blik in Loets ogen opving, betrok zijn gezicht.

'Jullie zijn vroeg,' zei Alicia toen ze zich weer hervonden had. 'Ik had jullie pas na het eten verwacht, maar ik zal er snel een paar aardappels bij schillen.'

'Voor mij niet, hoor,' zei Evert. 'Ik eet bij mijn moeder, die woont ook hier in Eindhoven.'

'Maar een kop koffie wilt u toch nog wel?'

'Nee, nee, ik moet ook nog terug naar Rotterdam, dus het wordt toch al een latertje vanavond. Zelfs zonder koffie.' Hij lachte. 'Maar bedankt voor het aanbod. Ik pak snel mijn tassen en dan ga ik.'

Alicia keek haar vader vragend aan. Eigenlijk was Loet liever ook eerst naar huis gegaan om te zien hoe het er daar voor stond en om de post te bekijken, en vooral om even bij te komen van de reis, maar hij voelde dat hij Alicia niet kon teleurstellen. 'Ik kom graag,' zei hij. 'Maar eerst uitpakken en heel even door mijn post snuffelen. Of is het eten al klaar?'

'Nee, dat duurt nog wel twintig minuten.'

'Oké, zie je me dan. Waar is Robbie eigenlijk?'

Alicia keek geschrokken om zich heen. 'Hij was bij me in de keuken. Ik dacht dat hij wel achter me aankwam. Ik zoek hem meteen op.'

'Rustig maar,' zei Loet lachend. 'Hij zal heus niet weggelopen zijn. Ik zie hem zo wel.' Hij draaide zich om, even ontmoette zijn blik die van Evert, daarna haalde hij alle tassen en andere spullen uit de auto.

'Mag ik helpen?' vroeg Else.

'Natuurlijk, meisje. Hier is de sleutel. Breng maar naar binnen wat je dragen kunt.'

Stralend liep Else naar de deur, die ze trots opende. Nina kwam al achter haar aan met een paar plastic tassen.

Loet knikte. 'Best handig, zulke grote kleindochters,' zei hij tegen Evert, 'maar wat is er met jou? Je kijkt zo bezorgd.'

'Ik geloof pas dat alles doorgaat als jouw handtekening op het papier staat.'

Loet fronste zijn wenkbrauwen. 'Ik weet niet waarom je dit zegt, maar als je me niet op mijn woord vertrouwt, is dat natuurlijk geen basis om op verder te gaan.'

'Zo bedoel ik het niet,' zei Evert geschrokken.

'Hoe dan? Je zegt het toch zelf! Eerst mijn handtekening.'

Evert haalde zijn schouders op. 'Ik zag dat je ogen vochtig werden toen je Alicia weer zag. Daarom. Ik ben bang dat je toch niet voor honderd procent achter je beslissing staat.'

'Man, hou nou toch eens op te zeuren. Als je je dochter dertig jaar lang elke dag gezien hebt en dan opeens drie weken niet, is het best even emotioneel als je haar terugziet. Bovendien is het Alicia, ja. Die is aanhankelijk en onzelfstandig. Zij kreeg tranen in haar ogen en daardoor ik ook. Maar dat heeft niets met onze afspraak te maken.'

'Oké, oké, ik zal niet meer zeuren,' zei Evert. Hij probeerde te lachen, maar begreep dat hij Loet beledigd had. 'Het spijt me. Natuurlijk geloof ik je op je woord.'

'Hm. Nee, nee, die niet,' riep Loet naar Else, die de grootste koffer probeerde op te tillen. 'Die is van Evert, die moet niet naar binnen.'

'Ik zal maar snel mijn spullen uitzoeken, voordat die ijverige dametjes alles in jouw huis gezet hebben.' Evert pakte zijn koffer en een paar plastic zakken, wierp er even een blik in om echt zeker te zijn dat het zijn tassen waren en liep op zijn eigen auto af die drie weken voor het huis van Loet gestaan had.

'Dus echt geen koffie of wat anders meer?' vroeg nu ook Loet.

'Nee, nee, ik ga naar mijn moeder. Ik hoop dat je me snel belt om over je vorderingen te vertellen. Ik ga over twee weken weer terug, maar je hebt het nummer van mijn mobiele telefoon.'

Ze schudden elkaar hartelijk de hand en Loet keek de auto na tot hij de straat uit was. Sjonge, wat stond hem een spannend nieuw leven te wachten.

'Opa, opa, kom, we gaan eten.'

Opgewekt keek hij zijn kleindochters aan. Hij zou ze missen, dat was waar, maar ze konden immers geregeld komen logeren. Dat gebeurde nu nooit, omdat ze ongeveer naast elkaar woonden. En dat zou zeker ook een leuke belevenis zijn. 'Ik kom zo. Even de post bekijken,' zei hij.

'Heb je ook wat voor ons meegebracht?' vroeg Nina.

'Hou je mond,' siste Else, 'dat mag je niet vragen.'

Loet grijnsde en knipoogde naar Nina. 'Tot zo, meiden.'

Hij liep het huis in, waar alles keurig aan kant was. Het was duidelijk zichtbaar dat Alicia bezig was geweest. Alles gestoft, alles gezogen en de post netjes in verschillende stapels op de tafel. Grappig dat ze zich uitgesloofd had terwijl hij weg was. Als hij thuis was, deed ze zelden iets voor hem. Maar dit was wel erg prettig thuiskomen. Hij pakte de stapel met brieven. De meeste waren rekeningen of bankafschriften. Er zaten maar twee enveloppen bij die met de hand geschreven waren. Hij opende ze nieuwsgierig en voelde zich warm worden toen hij zag dat het een kaart van Liselotte was en wat ze geschreven had: *Welkom thuis, pa, Alles goed gegaan? Ik hoop dat je het zo geweldig gehad hebt, dat je binnenkort weer gaat. Je hebt nu alle kans om wat van de wereld te zien, dus doe dat. Die geraniums kunnen altijd nog.*

De tweede envelop bevatte een kaart van Kieny, een vriendin van Paula. Die tekst bekeek hij met ogen die steeds groter en groter werden: *Beste Loet, de afgelopen dagen heb ik je diverse keren gebeld, maar je nam nooit op. Misschien ben je op vakantie, misschien lig je in het ziekenhuis of misschien heb je een ander nummer? Ik wilde echter toch weten hoe het met je gaat. Vroeger zagen we elkaar regelmatig, maar sinds Paula er niet meer is, heb ik je amper nog gezien. Misschien kunnen we daar verandering in*

brengen? Mij lijkt het in elk geval erg leuk om je eens te ontmoeten.
Ik hoop snel van je te horen.

Peinzend keek hij naar de woorden. Het klopte, ze hadden elkaar niet meer gezien. Vlak na het overlijden was ze een paar keer langs geweest, omdat ze het zo erg voor hem vond. Dat was natuurlijk heel aardig geweest. Maar al te vaak lieten mensen je vallen als je weduwnaar of weduwe werd. Kieny niet. Zij wist uit eigen ervaring hoe het was om alleen verder te moeten. Ze was al een paar jaar weduwe. En dus was ze de eerste maanden blijven komen. Het was alleen zo dat Loet haar nooit echt gemogen had en totaal niet op haar bezoekjes zat te wachten. Daarom had hij diverse keren een smoes bedacht om eronderuit te komen. Het leek alsof ze het begrepen had, maar nu zocht ze dus toch weer contact. En het was duidelijk waar ze op uit was. Ze vond hem leuk. Hij grijnsde en moest toegeven dat hij zich gevleid voelde. Zestig, en dan een toenaderingspoging van een best wel goed uitziende vrouw. Toch zou hij haar gaan teleurstellen en het liefst maar zo snel mogelijk, dan was dat ook weer achter de rug. Zijn blik viel op de datum en hij begreep dat de kaart al twee weken bij hem op de tafel lag. En ze wilde nog wel snel antwoord hebben! Hij lachte. Het zat haar niet mee. Hij stopte de kaart weer in de envelop, legde hem op de stapel post, waste zijn handen, pakte een tas met souveniertjes en liep het huis uit.

Bij Alicia kwam hem de geur van gebraden vlees meteen bij de deur al tegemoet. 'Lekker!' zei hij. 'Ruikt geweldig.'

'En zo smaakt het ook,' zei Alicia lachend. 'Robbie is op zijn kamer.'

'Hoezo?'

'Hij is bang voor jou.'

'Hè?' Loet keek zijn dochter verwonderd aan. 'Dit begrijp ik niet.'

'Heb je nog niet in je tuin gekeken?' vroeg Alicia.

'Nee, meid, nog geen tijd gehad. Hoezo?'

'Robbie heeft in een boze bui je narcissen kapot geschopt.'

'Dat meen je niet!'

'Helaas wel en ik heb toen gezegd dat je daar wel heel erg verdrietig en boos over zou zijn en daarom is hij naar boven gegaan toen hij hoorde dat je er weer was.'

'Bijzonder,' vond Loet. 'Anders trekt hij zich nergens wat van aan.'

'Klopt, maar ik doe tegenwoordig mijn best hem op te voeden en hij lijkt het door te krijgen.'

'Dan moet ik maar even naar boven toe, of niet?'

Alicia knikte. 'Dat zou ik wel fijn vinden en pap, niet al te hard mopperen, hoor.'

Loet glimlachte en liep door de huiskamer naar de trap.

'En niet te lang praten, het eten is klaar,' riep Alicia hem na.

Loet klom de trap op. De deur van Robbies kamer stond open. Hij zag de jongen op zijn bed zitten. Het leek er werkelijk op dat Alicia de wind eronder had. Zelfs zo erg dat de jongen zichzelf strafte en vrijwillig boven ging zitten. 'Ha, die Robbie. Daar ben je. Ik zocht je al. Kom opa eens begroeten, zeg.'

De kleine jongen kwam aarzelend van het bed af en liep op de grote man af. Loet tilde hem van de vloer en kuste hem op een wang. 'Dus jij was boos en toen kregen de bloemen de schuld?'

Robbie zei niets. Hij probeerde zich ook niet los te rukken, hetgeen Loet verbaasde. Was hij echt zo bang voor hem? Maar hij had hem nog nooit wat gedaan. Oké, weleens terechtgewezen, maar verder niets. Of begreep hij dat hij nu echt erg ondeugend geweest was? Hij zette de jongen weer op het bed en ging naast hem zitten. 'Dat vind ik niet leuk, Robbie, helemaal niet. Maar ik zal niet boos op je zijn, als je me iets belooft.'

De jongen keek hem vragend aan.

'Die bloemen konden er niets aan doen dat jij boos was,' zei Loet.

'Het was hun schuld niet. Dus als je weer boos bent, moet je eerst tot tien tellen voordat je gaat schoppen en dan moet je ook nog nadenken wie er de schuld van is dat je boos bent en daarna ... Tja, als je dan nog steeds zin hebt om te schoppen, schop dan maar tegen de muur van mijn huis. Dat lijkt me het beste. Beloof je dat?'

Robbie leek het niet helemaal te begrijpen, maar hij knikte aarzelend van ja.

'Oké,' zei Loet. 'Dan gaan we nu snel naar beneden. Het eten is klaar.' Hij stond op, pakte Robbie beet en tilde hem zo hoog op dat de jongen zijn hoofd aan de lamp stootte. Ze schoten samen in de lach. 'Domme opa,' mopperde Robbie.

'Ja, domme opa,' gaf Loet ruiterlijk toe. 'Maar opa heeft wel een cadeautje van de vakantie voor jou meegenomen.'

'Voor mij?'

'Ja, iets lekkers uit Frankrijk.'

7

'Kan je daar ook in zwemmen?' vroeg Else die met een ernstig gezichtje naar de vakantiefoto's van opa zat te kijken.

'Ja, dat is de zee. Of nee, eigenlijk de oceaan. Je bent toch weleens aan zee geweest? Tante Liselotte woont niet ver van de zee. Deze zee is nog veel groter en daarom heet hij oceaan.'

'Maar ik zie geen strand,' hield Else vol.

'Ach, dat bedoel je.' Loet lachte. 'Het strand is er wel, maar dan moet je eerst naar beneden klauteren.'

'Wel mooi,' vond ze.

'Dat ben ik helemaal met je eens,' zei Alicia, 'maar toch moet je nu naar bed.'

'Opa is heel lang weg geweest,' protesteerde Else.

'Ja, maar morgen moet jij gewoon naar school en je kunt nu elke dag weer naar opa toe. Dus bedtijd, meisje.'

André kwam juist de kamer in. 'Robbie slaapt al en Nina ligt er ook in,' zei hij.

'Ik breng Else wel.' Alicia stond op. 'Pap, je blijft toch nog wel een kopje koffie drinken? Ik wil zo graag even rustig met je praten.'

'Natuurlijk, de was loopt thuis niet weg en stof afnemen hoef ik niet, want alles zag er pico bello uit.'

'Dus dat had je wel gezien?' Alicia bloosde.

'Meteen, hoor. Ik voelde me helemaal welkom en ik vind het ook erg lief van je. Hartelijk bedankt.'

Else kroop even snel bij Loet op schoot om afscheid te nemen. Ze fluisterde hem wat in het oor. Hij lachte. 'Dat lijkt me fantastisch, meisje. Ik zal het er eens met je ouders over hebben.'

'Wat?' vroeg Alicia verbaasd.

'Ik wil naar de oceaan. Ik wil er zwemmen! Ik wil ook naar Frankrijk!'

'Opa heeft gelijk, daar moeten we het inderdaad eens over hebben, want mij trekt het ook wel. Alleen is het zo ver rijden en jij bent nog klein. Maar over een paar jaar misschien ...'

'Helemaal niet,' protesteerde Else. 'Ik ben niet klein, ik ben al acht!'

'Kom, naar boven, jij!'

Ze verdween gehoorzaam met haar moeder naar boven, maar vlak voor de deur dichtviel gaf ze haar grootvader nog een knipoog.

'En hoe is het hier?' vroeg Loet aan André die naar de open keuken liep om koffie te zetten. Loet kwam overeind en liep hem achterna.

'Prima, hoor!'

'Maar ik bedoel met Alicia. Ze lijkt anders, maar ...'

André was het niet gewend om met zijn schoonvader over persoonlijke dingen te praten. Ze keken elkaar even zwijgend aan. 'Nou ja,' verzuchtte hij. 'Ze zat met zichzelf in de knoop. Ze kon niet goed zonder haar moeder en ze kon niet tegen Robbie op en nou ja, ze is gewoon niet zelfstandig genoeg. Dat wist ik wel en dat vond ik ook nooit een probleem – is het nog niet – maar ze raakte er zelf van in de war. Het was echt goed dat ze een weekje bij haar zus terechtkon. Die twee hebben goede gesprekken gehad en nu doet ze haar best Robbie anders aan te pakken. Dat lijkt te werken, maar het kost Alicia veel moeite.'

'Dat begrijp ik, maar hoe sta jij ertegenover? Ik bedoel: ben je het met haar aanpak eens?'

'Helemaal. We praten er tegenwoordig vaak samen over. Dat lukte eerst nooit, maar nu praten we vaker dan vroeger en ik heb het gevoel dat ons dat goed doet.'

'Mooi, daar ben ik blij om.' Loet glimlachte en liep weer terug naar de kamer. Alicia zou het niet leuk vinden wat hij haar straks ging vertellen, maar ze was niet alleen. André stond achter haar, was er voor haar, meer dan ooit. Dat was een goed gevoel.

Loet wist natuurlijk best dat André er altijd voor haar was geweest, maar toen leefde Paula nog. Het was geweldig om te horen dat ze nu toch meer op André ging leunen dan vroeger. Het deed hem echt goed dit te horen.

Juist toen André een kop koffie voor Loet neerzette, kwam Alicia de kamer weer in. 'Else vraagt of ze morgen zo'n flesje appelsap mee naar school mag nemen? Ze vindt het zulke mooie flesjes en ik denk dat ze ermee op wil scheppen dat zij iets heeft wat anderen niet hebben.'

Loet lachte. 'Dat mag. Leuk dat ze nog met zoiets simpels blij kan zijn. Een Frans flesje appelsap.'

'En hoe heb je het nu echt gehad?' vroeg Alicia. Ze ging naast haar vader op de bank zitten en keek hem ernstig aan.

'Geweldig, echt geweldig. Dacht je dat ik aan tafel heb zitten liegen?'

'Natuurlijk niet. Ik geloof heus je verhalen over Frankrijk wel en over hoe mooi het er was, maar je was met Evert op vakantie, zonder mamma. Ging dat wel? Lukte dat?'

De vraag verraste hem. Hij had eerder een hele litanie van haar kant verwacht over dat ze hem zo gemist had en dat ze zich zo alleen had gevoeld. Dat ze naar zijn gevoelens op dit gebied vroeg, had hij niet verwacht. Hij vond het een ontzettend positieve wending dat ze eens niet egoïstisch was. Maar een teer onderwerp was het wel en hij wist dat hij zijn woorden zorgvuldig moest kiezen. 'Tja,' zei hij langzaam, 'het was anders. Alles was zo anders. Ik heb echt elke dag wel aan mamma gedacht en soms wilde ik zo graag dat ze erbij was zodat ze kon zien hoe mooi alles was, maar Evert gaf me niet echt de kans ... ik bedoel: met Evert was het anders. Twee mannen leven anders dan een echtpaar. Het viel niet te vergelijken en daarom ging het best erg goed.'

'Dus je hebt mamma niet gemist?'

'Natuurlijk heb ik haar gemist, maar ik weet dat ze er niet meer is en samen met Evert dacht ik minder aan haar.'

'En wat wil je met Kieny?'

Loets ogen werden zo groot als schoteltjes. Had ze zijn post stiekem opengestoomd en weer dichtgeplakt? Hoe kon ze dit weten? 'Wat bedoel je?'

'Ze belde op, want ze zocht jou. Je nam alsmaar niet op en toen stuurde ze je post en daar reageerde je ook niet op. Ze wou weten hoe het met je was. Ze was bang dat je ziek was of zo.'

Hij zuchtte opgelucht en geërgerd. Hoe had hij kunnen denken dat Alicia zijn post openmaakte. Natuurlijk deed ze dat niet. Maar gebeld? Nou ja, misschien toch niet echt gek als hij alsmaar niet opnam en ook niet op haar kaart reageerde.

'Ik heb haar brief wel bij de post gezien, hoor. Vanmorgen kwam er zelfs nog een.'

Loet schoot in de lach. 'Nee, meisje, daar vergis je je in. Die was van Liselotte.'

'O?'

'Ja, een welkomthuiskaart.'

Alicia bloosde duidelijk, maar toch herhaalde ze haar vraag: 'Wat wil je met Kieny?'

'Ik wil niets met haar. Zij zocht contact met mij, hoor. Niet andersom!'

'Dus je ... je ...' Ze zweeg en kleurde nog harder.

Ook André keek haar vragend aan. Hij leek ook niet te begrijpen wat er opeens was.

Maar Loet kreeg het door. De vraag die ze hem gesteld had, hoe het met hem ging zonder Paula, die was toch egoïstisch geweest. Ze wilde weten of Loet een nieuwe vriendin wilde, een andere vrouw in Paula's plaats. Dat zou ze, zo te zien, niet kunnen verkroppen. 'Je bedoelt of ik een relatie met haar wil,' zei hij.

Ze knikte angstig. 'Mamma is nog maar zo kort ...'

'Alicia,' zei André, 'dat gaat je toch niets aan. Je vader mag toch doen en laten wat hij wil!'

'Nee, geen nieuwe vrouw! Mamma is nog ... nee, geen andere vrouw!' zei ze met een wanhopig gezicht.

'Rustig nou maar, Alicia,' vond Loet. 'Ik ben het weliswaar helemaal met André eens, dat ik mag doen wat ik zelf wil, maar ik zit helemaal niet op een nieuwe vrouw in mijn leven te wachten. Ik heb heel andere plannen.'

'Gelukkig, maar, pap, want echt ... ik zou ... ik zou ... Wat zei je? Plannen?'

Loet knikte ernstig en pakte het zakje met vakantiefoto's weer op die hij in Frankrijk al had laten afdrukken, zodat hij meteen wat kon laten zien als hij weer terug was. Hij zocht tussen de foto's en vond de foto van het huis van Evert. Het mooie, oude, bakstenen huis. Hij legde hem op de salontafel, zocht er de foto's van de tuin bij en legde ze ernaast.

'Pap, wat is er? Wat bedoel je?'

'Ik wil je iets vertellen, maar misschien kan ik eerst nog een kop koffie krijgen?'

André stond meteen op en schonk de kopjes nog eens vol.

Loet leunde achterover en keek zijn dochter en schoonzoon aan. 'Toen ik net geslaagd was voor school ben ik voor het eerst op vakantie geweest in Frankrijk. Samen met Evert. Het was een schitterende vakantie en we hebben elkaar toen iets beloofd. Namelijk dat we samen in Frankrijk zouden gaan wonen. Toen ik terugkwam, moest ik in militaire dienst. Ja, dat kennen jullie niet meer. Dat was net afgeschaft voordat André achttien werd, maar ik moest nog wel. En terwijl ik in dienst zat, leerde ik je moeder kennen, Paula. Het was liefde op het eerste gezicht en natuurlijk zouden we ...'

'Wat zei je eigenlijk?' onderbrak Alicia hem. 'Zei je dat je Evert beloofd had dat je ...'

Het was tot haar doorgedrongen.

'Ja, dat zei ik. Evert en ik zouden samen naar Frankrijk. Dat kon toen niet doorgaan door allerlei gelukkige, kan ik wel zeggen, omstandigheden, maar nu ...'

'Nee, dat nooit!' Alicia vloog overeind en ging vlak voor haar vader staan. 'Dat gaat niet gebeuren. Jij gaat niet naar Frankrijk. Daar heb je niets te zoeken. Je blijft mooi in mamma's huis wonen, lekker vlakbij. Wat moeten de kleinkinderen zonder jou? Oh, nee, daar komt niets van in! Je blijft hier.' Haar ogen schoten vuur, haar wangen werden knalrood.

Loet voelde de angst hem besluipen. Als ze niet zo jong en gezond was geweest, zou hij bang geweest zijn dat ze een hartaanval kreeg. Dat ze het niet leuk zou vinden, tja, daar had hij de hele tijd op gerekend, maar dat ze als een furie tegen hem tekeer zou gaan, dat was toch wel iets meer dan hij verwacht had. 'Alicia,' zei hij rustig, in de hoop haar te kalmeren. 'Je zou eerst eens naar mijn verhaal kunnen luisteren.'

'Dat ben ik met je vader eens,' zei André. 'Laat hem eerst uitpraten.'

'Nee, ik wil er niets meer over horen. Het gaat gewoon niet door. Pap blijft hier in de straat wonen!'

'Nee, Alicia, ik blijf hier niet wonen,' zei Loet. 'Ik ga in Frankrijk wonen.'

Ze zakte neer op de bank en barstte in huilen uit. 'Dat kun je niet menen! Eerst mamma dood en nou ga jij weg. Dat mag gewoon niet.'

'Ik begrijp heel goed,' zei Loet, 'dat je hiervan schrikt, maar ik vind dat je pas een oordeel mag hebben als je het hele verhaal weet.'

'Wat doet dat verhaal ertoe? Jij wilt weg. Dat is het enige wat belangrijk is en dat wil ik niet. Je moet hier blijven wonen, pap, snap dat dan. Ik kan niet zonder jou. Je hoort hier.'

'De afgelopen weken ging het ook goed, je bent zelfs sterker en zelfstandiger geworden,' zei Loet, die wonderwel zijn zelfbeheersing wist te houden en heel rustig naar haar keek en praatte.

André stond op. 'Ik schenk wat anders voor ons in. Ik geloof dat we wel een versterking kunnen gebruiken. Jenevertje?'

'Graag.' Loet keek hem dankbaar aan.

'En jij, wil je een glaasje rode wijn of ...?'

Ze knikte, wreef door haar ogen, maar keek niet op. 'Ik vind het gemeen,' zei ze zacht. 'Dit wist je natuurlijk al voordat je op vakantie ging. Je ging helemaal niet op vakantie, je ging plannetjes smeden.'

'Ik wist nog niets zeker. De beslissing is pas gevallen toen ik daar was,' zei Loet. 'En stel dat die anders was uitgevallen, dan had ik je het verhaal voor niets verteld. Ik wilde eerst zekerheid, want ik snap best dat je het niet leuk vindt.'

'Maar dan zie je Robbie ook niet meer elke dag,' wierp ze tegen.

'Nee, en dat zal wennen zijn, maar ik hoop dat hij vaak komt logeren.'

'Poeh, logeren! In Frankrijk zeker. We rijden nooit zo ver met de kinderen.'

'Je zei net zelf dat je Frankrijk ook graag eens wilde bekijken.'

'Ja, later, als de kinderen groot zijn.'

Er viel even een stilte, maar toen haalde Loet adem en begon aan zijn verhaal. 'Luister,' zei hij. 'Iedereen heeft dromen als hij jong is. Jij vast ook, Alicia. Dat is heel normaal. Dat die dromen lang niet altijd uitkomen, is ook heel normaal. Sommige dingen heb je zelf niet in de hand. Soms loopt je leven zo heel anders dan je gedacht of gewild had. Ik heb altijd van Frankrijk gedroomd, maar mamma hield niet van dat land. Ze wilde naar Spanje. Daaraan heb ik al die jaren toegegeven. Gewoon omdat ik van je moeder hield. Dat was niet erg. Maar nu, nu krijg ik de kans om toch nog mijn jeugddroom te verwezenlijken en dat ga ik doen, Alicia.'

'Maar hoe dan? Wat bedoel je? Hoe ver is het? Nee, pap, nee, dat mag je niet doen!' Ze greep hem bij de handen en hield hem vast alsof ze hem nooit meer los wilde laten.

'Evert heeft zijn jeugddroom ook nooit waar kunnen maken. Zo gaat dat soms. Je trouwt, krijgt kinderen en plotseling is je leven voorbij en heb je niet gedaan wat je vroeger wilde. Evert is een paar jaar geleden gescheiden. Bovendien zijn zijn kinderen natuurlijk ook allang het huis uit, net als die van mij. Hij woonde dus opeens helemaal alleen en op een dag nam hij de auto en reed naar Frankrijk. Alsof het zo moest zijn, zag hij bij een prachtig huis een bord met *Te koop* staan. Het was een oud huis. Er moest veel aan gedaan worden, maar daarom was het wel betaalbaar. Hij had zijn eigen huis verkocht en de opbrengst gedeeld met zijn vrouw, maar er stond nog steeds een leuk bedrag op de bank. Dat was voldoende om de hypotheek rond te krijgen. En op het moment dat hij de kans kreeg om met de vut te gaan, heeft hij dat gedaan. Sinds vorig jaar reist hij nu heen en weer tussen Bretagne en Rotterdam. Beetje bij beetje heeft hij het huis bewoonbaar gemaakt en zijn spullen verhuisd. Per 1 juni heeft hij de huur van zijn flat in Rotterdam opgezegd en gaat hij voorgoed in Frankrijk wonen.'

'Hij heeft misschien niet zo'n goede band met zijn kinderen,' wierp Alicia op. 'Bovendien hebben zij hun moeder nog in de buurt, neem ik aan. Ik vind niet dat je ons in de steek kunt laten en trouwens: wat is eraan om met een man samen te wonen?'

Loet glimlachte. 'Met een vrouw mag ook niet van jou, kreeg ik net de indruk.'

'Ja, poeh, doe niet zo moeilijk,' vond ze. 'Dat is heel wat anders.'

'Evert is ook zestig,' ging Loet verder. 'Net als ik. Dat is te jong om de hele dag niets te doen. Natuurlijk heeft het huis onderhoud nodig en de tuin is vreselijk groot. Maar als je verder geen baan hebt, ga je je misschien toch vervelen. Daarom had hij het plan opgevat om een gastenhuis op het terrein te laten zetten en dat dan te verhuren. Het levert geld op, maar ook gezelligheid en natuurlijk moet hij dan dat huis ook schoonhouden en alles doen wat erbij komt kijken. Hij had echter geen geld om dat gastenhuis te laten bouwen omdat hij al zijn geld in het opknappen van het huis had gestopt. Toen we elkaar weer ontmoetten en hij me van zijn huis vertelde, kreeg ik ongelooflijke zin om met hem in zee te gaan. Natuurlijk wilde ik alles eerst zien en dat is nu gebeurd.'

'Hoezo in zee?' vroeg André, die vol belangstelling had zitten luisteren.

'Ik koop de helft van het huis en de grond van hem over. Dan zijn we samen eigenaar. Hij houdt dan geld over om te bouwen en aangezien de helft van dat huis veel en veel minder kost dan de helft van mijn huis, houd ik ook geld over om mee te bouwen.'

'De helft van jouw huis?' Alicia sloeg de hand voor haar mond.

Loet knikte. 'Ja, op de bank staat niet veel spaargeld, dus ik zal mijn eigen huis moeten verkopen.'

'Het is jouw huis helemaal niet!' riep Alicia kwaad uit. 'Het is het huis van mamma en jou. Je kunt mamma's huis niet verkopen! Waar moet ik dan naartoe als ik naar huis wil?'

'Dan kom je gezellig bij mij logeren. Het huis is groot genoeg en later komt er dus ook nog dat gastenhuis. Je zult het er prachtig vinden en de oceaan is vlakbij.'

'Echt niet! Je gaat echt mamma's huis niet verkopen!'

'Jawel, Alicia, dat ga ik wel. Als ik in Frankrijk ga wonen, staat het huis hier alle dagen leeg. Dat kan toch ook niet? En verhuren zal je ook niet leuk vinden.'

'Ik wil het niet hebben. Weet Liselotte het al?'

Loet schudde zijn hoofd.

'Dan bel ik haar. Samen zullen we je tegenhouden. Wat een belachelijke plannen. In Frankrijk gaan wonen. Weg uit de straat. Geen pap meer vlakbij, geen opa meer voor de kinderen. En ook nog ons ouderlijk huis verkopen. Nee, pap, dat gaat allemaal echt niet.'

Ze stond boos op om te gaan bellen, maar midden in de kamer bleef ze staan. Ze draaide zich om en keek haar vader met vochtige ogen aan. 'En hoe moet het dan als Robbie zijn zwemdiploma haalt? Dan kun je niet komen kijken. Of als ze een uitvoering hebben op school? Oma is er ook al niet meer en dan ook geen opa?'

'Ja, dat is jammer. Daar heb ik best over nagedacht,' gaf Loet toe. 'Maar er staat wel tegenover dat ze dan een opa in Frankrijk hebben en dat heeft lang niet ieder kind. Je zou zelfs wel een weekend kunnen komen en welk kind gaat er nu voor een weekend naar Frankrijk?'

'Wij niet. Tien uur rijden heen en tien uur terug. Daar zijn ze nog veel te klein voor.'

'Het is hooguit zeven uur, eerder zes en je weet niet half waar kleine kinderen toe in staat zijn zolang je het niet uitprobeert.'

'Het gaat gewoon niet door!'

'Alicia, wat moet ik dan doen?' vroeg Loet. 'Elke dag alleen in dit huis zitten verpieteren? Oké, ik kan op een club gaan. Biljarten of zo of ik kan een postzegelverzameling aan gaan leggen. Waarom mag ik mijn droom niet uitvoeren nu het nog kan?'

'Omdat je mijn vader bent en omdat je hier hoort!' was het antwoord van Alicia. 'Zo simpel is dat.'

- 8 -

Alicia stapte op de fiets. Ze had Robbie in het zitje getild omdat hij naar school moest. Zelf moest ze naar haar werk. Ze pakte het stuur stevig beet om kracht bij te zetten, maar de volgende seconde stond ze doodstil. Haar hart klopte haar in de keel en ze voelde dat ze rood aanliep van woede. In de tuin van haar ouders huis stond een bord. Een bord van een makelaar waarop voor iedereen duidelijk zichtbaar de woorden *Te koop* stonden. Het was niet waar! Dit kon niet waar zijn. Haar vader ging gewoon zijn eigen gang! Hij deed toch wat hij wilde, zonder rekening te houden met haar gevoelens, wensen en protesten. Hij trok zich gewoon niets van haar aan!

Die stomme Liselotte ook. Waarom kon ze het niet met haar eens zijn? Nee, Liselotte vond het alleen maar prachtig en ze boekte meteen tien weekends om hem te komen bezoeken en de grote vakantie wilde ze ook in zijn Franse huis doorbrengen. Zelfs André vond dat Alicia zich niet aan moest stellen. Aanstellen! Dat had hij gezegd. Hoe durfde hij. Iedereen liet haar in de steek. Ze lieten haar allemaal vallen en walsten gewoon over haar gevoelens heen.

'Mammie, mam, wat is er nou?' Robbie riep haar weer tot de orde van de dag. Met zijn kleine vuisten timmerde hij op haar rug. 'Ik wil naar school!' riep hij.

Het liefst draaide ze zich om en ging weer naar binnen om huilend haar bed in te duiken. Maar dat kon natuurlijk niet. Robbie moest wel naar school. Maar ze wist niet hoe ze langs het huis met het bord moest rijden. Ze wilde het niet van nog dichterbij zien. Het huis waar ze zo gelukkig was geweest met haar moeder ... De tranen sprongen haar in de ogen bij de herinnering en ze kneep zo hard in het stuur van de fiets dat haar knokkels wit werden. Nee, nee, nee, dacht ze wanhopig. Ik wil geen andere mensen in dat huis. Ik wil pap!

'Mamma! Ga nou fietsen!' gilde Robbie en hij bleef haar op de rug slaan.

Omdraaien kon ook niet. Dan moest ze kilometers omfietsen. Er zat niets anders op dan toch maar gewoon langs het huis te rijden. Ze ging weer op het zadel zitten en begon langzaam te trappen. Ze draaide demonstratief haar hoofd de andere kant op. Ze wilde niet kijken!

'Wat is dat?' riep Robbie. 'Wat heeft opa in de tuin?'

Ze gaf geen antwoord. Ze voelde zich zo ellendig. Automatisch trapte ze door, tot ze bij school aankwam. Ze tilde Robbie uit het zitje en zonder iets te zeggen, rende hij weg. Hij vond waarschijnlijk dat hij niets hoefde te zeggen, want zijn moeder had het immers ook niet gedaan. Ze keek hem verward na.

'Hé, hallo, gaat je vader verhuizen?'

Alicia wilde zich niet omdraaien, maar fatsoenshalve moest het wel. Een buurvrouw uit haar straat stond vrolijk naast haar. Ze wilde niet antwoorden, ze wilde er niet over praten, maar wat moest ze dan? 'Ja,' zei ze slechts en stapte weer op haar fiets. Woest reed ze door naar Jacques, waar ze buiten adem aankwam. Ze had zo hard gefietst dat ze echt even bij moest komen in de fietsenstalling.

'Wat is er met jou? Voel je je niet goed?' Haar collega Lucille keek haar bezorgd aan.

'Mijn vader heeft zijn huis te koop gezet,' flapte ze eruit. 'Het huis van mamma!'

'En? Dat is toch niet zo gek?' vroeg Lucille fronsend. 'Het zal hem wel te groot zijn. Wat moet hij met al die lege kamers?'

'Ha, dat is het echt niet. Hij gaat straks in een huis wonen met nog veel meer kamers. Nee, pap moet zo nodig emigreren.'

'Emigreren?' riep Lucille verrast uit. 'Waar naartoe?'

'Frankrijk.' Alicia was weer enigszins bijgekomen en wilde naar binnen lopen, maar ze was verrast door Lucilles reactie, want die riep lachend: 'Frankrijk? Nou, dan bof je nog. Dat kun je zelf ook rijden. Ik hoorde laatst van iemand wiens ouders naar Nieuw-Zeeland gingen. Voorgoed! Die zie je zo snel niet meer terug. Jij kunt nog gewoon in de auto stappen en naar hem toe gaan.'

Alicia keek haar aan. 'Je doet alsof het normaal is dat je vader gaat emigreren.'

'Waarom niet? Hij is weduwnaar, zijn kinderen zijn groot en het huis uit. Het lijkt me wel leuk, hoor, zo'n adres ergens in een mooi land.'

Alicia schudde haar hoofd en liep weg. Zelfs haar collega liet haar alleen. Het leek wel of er werkelijk nergens steun te halen was.

Ze probeerde zich te concentreren op haar typewerk, maar het lukte slecht. Ze was blij toen het pauze was en ze haastte zich naar buiten voor een frisse neus. Daar stond Lucille al een sigaret te roken.

'Zeg, Alicia,' zei ze, 'spreek je eigenlijk wel Frans?'

'Moet dat dan? Mijn vader blijft toch wel Nederlands spreken.'

'Logisch, maar ik bedoel voor als je er eens bent. Dan kun je je ook bij de anderen verstaanbaar maken. Want aan Engels doen ze daar niet zo.'

'Ik heb twee jaar Frans gehad op school en verder ben ik helemaal niet van plan hem daar te gaan bezoeken. Als hij me wil zien, komt hij maar hierheen.'

'Lieve meid, ben je boos of zo? Vind je het dan niet geweldig dat je vader zulke ondernemende plannen heeft?'

'Nee, helemaal niet. Ik kan hem niet missen. Ik heb hem nodig. Mijn moeder is er ook al niet meer.'

'Maar hij gaat de wereld toch niet uit! En je kunt hem altijd bellen, of niet?'

'Ja, op mijn eigen mobiele telefoon. Haha, als ik dat geweten had, had ik hem dat ding nooit gegeven.'

'Hoe bedoel je?'

Maar Alicia zweeg. Ze had geen zin hier verder op in te gaan.

'In elk geval zit ik op Franse les,' ging Lucille verder. 'Hartstikke leuk. Ik heb vroeger geen Frans gehad en ik ga er weleens naartoe op vakantie, maar ik kon nog geen brood kopen. Ik dacht: misschien heb je wel zin om met mij op les te gaan? Als je al Frans op school gehad hebt, kun je vast zo bij mij in de klas meedoen. Ik heb nu twee jaar achter de rug, snap je? Het is maar een avond in de week, maar wel met huiswerk. We hebben een heel leuke groep en we zijn elk jaar met de groep naar Parijs geweest. Denk er eens over. Kom je er meteen een avondje uit.'

'Alsof ik daar tijd voor heb.'

Lucille haalde haar schouders op, trapte haar sigaret uit en ging weer naar binnen. Alicia volgde haar mokkend. Waarom toch vond iedereen het zo leuk dat haar vader naar Frankrijk ging? Iedereen, behalve zij.

Die avond ging Alicia naar haar vader. Ze wilde er nog een keer met hem over praten. Hij kon toch niet zomaar uit haar leven verdwijnen? Ze moest zien hem op andere gedachten te brengen. Ze had zich goed voorbereid. Ze had een fotoalbum bij zich waarin foto's van haar en haar ouders zaten vanaf dat ze geboren was.

Het was al vrij laat. Nadat André en zij de kinderen naar bed gebracht hadden, had ze opnieuw haar beklag gedaan bij André en dat was uitgelopen tot een erg lang gesprek. Ze moest dus wel door de voordeur, want haar vader zou waarschijnlijk schrikken als ze om tien uur nog zomaar via de achterdeur het huis in zou stappen. Ze was echter het bord in de voortuin totaal vergeten en bleef geschrokken staan toen ze het weer zag. Opeens kreeg ze een idee! Waarom zouden André en zij het niet kopen? Als haar vader dan per se weg wilde, konden zij wel in hun ouderlijk huis wonen! Het idee sprak haar aan en opgewekter dan ze zich net nog voelde, belde ze aan.

Loet deed open en keek haar verrast aan. 'Zo laat nog op stap? Kom binnen en ga zitten. Ik ben aan de telefoon.'

Telefoon? dacht ze verbaasd. Zo laat nog? Zeker Evert, om de details door te spreken. Ze ergerde zich dat hij het gesprek niet meteen verbrak, maar weer rustig aan tafel ging zitten en de hoorn oppakte.

'Het was Alicia, ze wil even met me praten, dus ze zit hier nu in de kamer,' hoorde ze hem zeggen. Natuurlijk kon ze niet horen wat Evert zei, maar ze wilde het niet weten ook.

'Daar heb ik echt geen zin in, dat heb ik nu al drie keer gezegd,' zei Loet en Alicia keek geïnteresseerd op. Waren ze het ergens over oneens? Dat klonk eigenlijk geweldig. Misschien bedacht hij zich wel en bleef hij toch hier? Want om samen in een huis te gaan wonen met iemand met wie je niet uit de voeten kon …

'Luister,' zei hij nadrukkelijk. 'Het moet mogelijk zijn om verschillend over dingen te denken en ik denk er zo over, wat jij er ook tegen inbrengt.'

Het was waar! Ze waren het niet eens. Het klonk Alicia als muziek in de oren.

'Ik zeg het nu voor de laatste keer: ik heb er geen zin in en ik hoef niets tegen mijn zin in te doen. Nee, ook niet om jou een plezier te doen. Ik hang nu op, want Alicia zit op me te wachten.'

Hij klonk echt geïrriteerd en dat verraste haar, want zo klonk hij zelden. Hij keek zelfs boos toen hij de hoorn met een knal op het toestel gooide.

'Ruzie?' vroeg ze op een onschuldige toon, maar ze brandde van nieuwsgierigheid.

'Dat niet, nee, maar het is zoals ik zei: ik hoef niets tegen mijn zin in te doen. Het stomme is alleen dat ik het vier keer moest zeggen. Wil je wat drinken?'

Ze knikte. 'Ik wil wel een glaasje bronwater.' Haar blik viel op het fotoalbum en inwendig lachte ze. Waarschijnlijk had ze het helemaal niet nodig!

Hij nam zelf een flesje bier en ging tegenover haar zitten. 'Wat kwam je doen?' vroeg hij vriendelijk, maar het was zichtbaar dat hij nog niet helemaal over het telefoongesprek heen was.

Ze haalde haar schouders op, nam een slok van het koele water en zuchtte. Ze had zich zo goed voorbereid, maar door dit telefoongesprek liep alles misschien anders. 'Ik eh ... wou het nog eens over Frankrijk hebben.'

Hij knikte.

Zeg nou dat het niet doorgaat, dacht ze in stilte. Zeg dat je Evert niet meer leuk vindt! Maar haar vader zei niets. Keek nog wat nors voor zich uit en leek Alicia niet eens te zien.

'Moet je daar echt naartoe?' vroeg ze zacht.

'Ja!' zei hij vrij fel en keek haar aan. 'Sorry, sorry, Alicia, maar dat stomme telefoongesprek. Wat is er? Wat wilde je zeggen?'

Hij gaf geen duimbreed toe, dus pakte ze toch maar het fotoalbum en sloeg het open. 'Kijk, pap, hier zit ik in deze kamer, bij jou op schoot. Het was mijn eerste verjaardag, zie je dat?' Ze schoof het album over de salontafel zijn richting uit. 'En hier hebben we een feestje vanwege jullie twaalf-en-een-halfjarig huwelijk. Toen was ik twee. Moet je zien hoe mooi de kamer versierd is.'

Loet keek haar vragend aan. 'Wat bedoel je hiermee? Ik ken die foto's toch. Die heb ik zelf ook.'

'Maar zie je dan niet hoe gelukkig we waren in dit huis?'

Opeens begreep hij haar. 'Dus daarom mag ik het niet verkopen?'

'Precies!'

'Zo gelukkig als ik toen was, zal ik nooit meer worden. Al word ik honderd en al blijf ik hier wonen. En stel dat mamma niet overleden was, dat we samen negentig zouden worden, dan moesten we het huis ook verkopen, omdat we naar een bejaardentehuis moesten. En stel dat ik hier wel blijf wonen en ik overlijd, wat doe je dan? Dan verkopen jullie dit huis toch ook? Dat kan niet anders. Het is maar een huis, Alicia. De herinnering aan mamma en mamma zelf wonen in mijn hart. Ik zal haar nooit vergeten, dat heeft niets met het huis te maken.'

'Dan kopen wij het.'

'Wat?' Hij keek haar verwonderd aan. 'Dat meen je niet?'

'Ik wel. André weet het nog niet, maar die haal ik wel over.'

Loet schudde zijn hoofd. 'Doe dat toch niet. Het wordt toch niet meer het huis van je ouders. Als jullie erin trekken met jullie spullen lijkt het echt niet meer op je ouderlijk huis en waarom zou je al die moeite doen? Je hebt zelf precies hetzelfde huis als dit!'

'Maar hier heeft mamma geleefd en jij ook. Snap dat dan!'

Hij snapte het niet, maar zei dat niet hardop. Hij dacht dat ze veranderd was, gegroeid, sterker geworden, maar ze was weer helemaal het kleine meisje dat niet zonder haar moeder kon.

'Pap? Je kunt toch ook hier blijven wonen en alleen af en toe naar Evert toe gaan?'

'Nee, dat kan niet. Dan is het mijn droom niet. Ik wil daar wonen en om eerlijk te zijn, meisje, denk ik dat ik het recht heb om dat te doen.'

'Het recht? Je eigen dochter in de steek te laten?'

'Ik laat je niet in de steek. Ik zal er altijd voor je zijn als je me nodig hebt, maar jij bent groot. Je hebt je eigen leven. Als het goed zou zijn, zou ik daarin slechts een heel klein plaatsje innemen. Je hebt je man en kinderen. Het wordt echt tijd dat je je losmaakt van mij.'

'Maar dat wil ik niet,' zei ze met een benepen stemmetje. 'Ik weet niet hoe dat moet.'

'Dat weet je wel, Alicia, je was er al aardig mee bezig. Ga je eigen dingen doen, richt je op wat jij leuk vindt.'

'Ik vind het leuk om bij jou te zijn.'

Hij zweeg. Dat het moeilijk zou worden, had hij geweten. Maar dat ze zo koppig en stug zou zijn en dat ze alleen maar aan zichzelf zou denken, dat had hij niet verwacht. In gedachten mopperde hij opnieuw op Paula die haar zo verwend had en altijd de hand boven het hoofd gehouden. Misschien moest hij Liselotte bellen en vragen of zij nog eens met haar zus wilde praten, want het leek hem niet te lukken een zelfstandige vrouw van Alicia te maken.

'Oké,' zei ze.

Hij zag haar opstaan, het fotoalbum van de tafel pakken en het met een klap dichtslaan. Hij voelde medelijden met haar omdat hij wist dat zij er niets aan kon doen. Toch voelde hij diep van binnen ook ergernis dat ze niet de kracht kon vinden om zichzelf te veranderen. Het was toch echt niet normaal dat een vrouw van dertig nog zo aan haar vader hing!

'Als jij liever met iemand samenwoont die je niet eens mag dan dat je hier bij je dochter en haar gezin woont, dan kan ik er ook niets meer aan doen. Ik ga naar André, vragen wat hij ervan vindt om dit huis te kopen.'

Loet kwam snel overeind, maar voordat hij bij de deur was, was zij al buiten en hij had geen zin haar op straat na te staan schreeuwen. Al wilde hij eigenlijk wel graag weten wat ze ermee bedoeld had toen ze zei dat hij met iemand ging samenwonen die hij niet eens mocht. Hij mocht Evert namelijk heel graag. Anders had hij ook nooit deze beslissing genomen. Hij keek op zijn horloge. Halfelf. Het telefoontje naar Liselotte moest maar tot morgen wachten.

Liselotte beloofde haar vader met Alicia te gaan praten. Maar wat ze ook tegen haar zus zei, het hielp niet. Ze kwam er zelfs op een zondagmiddag voor uit Zeeland rijden, maar het hielp niet. Alicia was en bleef boos omdat hun vader voorgoed naar Frankrijk wilde verhuizen. En omdat André gezegd had dat hij haar ouderlijk huis niet wilde kopen. Al die toestanden voor precies hetzelfde huis, had hij gezegd. Als je het ingericht hebt, zie je het verschil niet meer en zijn alle herinneringen aan je ouders weggevaagd. Misschien zat daar wel wat in, maar Alicia had echt het gevoel dat iedereen tegen haar was. En toen ze ook nog kijkers rond het huis van haar vader zag lopen, had ze het helemaal niet meer.

'Kijk dan, André, wat een rare mensen. Die zou jij toch ook niet in het huis van je ouders willen hebben? Dat worden onze buren!'

'Joh, sta niet zo te gluren bij dat raam,' vond hij.

'Ik gluur niet. Ik kijk wie ons huis wil kopen,' hield ze vol. 'En je moet het met me eens zijn, het zijn rare mensen. Zij heeft een lange rok in wel honderd kleuren aan en hij heeft haren die nog langer dan de mijne zijn. Dat deed je vroeger misschien, maar nu is dat ouderwets. Het zijn vast van die geitenwollensokkentypen.' Ze rilde zichtbaar.

'Meestal zijn die heel milieubewust,' zei André, die nu toch wel nieuwsgierig geworden was en bij haar kwam staan. Opeens schoot hij in de lach. 'Alicia, dat zijn twee vrouwen!'

'Nee, toch! Dat kan helemaal niet. Lesbische vrouwen zeker! Die passen niet in onze straat. Ik ga ernaartoe.'

Plotseling werd het hem te veel. Hij greep haar bij de arm en trok haar naar zich toe. 'Dat doe je niet. Je laat je vader zijn eigen boontjes doppen en wat is er op lesbische vrouwen tegen? Doe niet zo raar! Daar ben je anders ook niet zo fel op tegen. Je grijpt werkelijk alles aan om je vader tegen te zitten, maar dit kan niet. Je blijft thuis.'

Ze keek hem verbluft aan. André sprak haar zelden tegen en als hij dat deed, probeerde hij haar meestal met zachte woorden op andere gedachten te brengen. Niet zo hard als nu. De tranen sprongen haar in de ogen en ze liet zich tegen hem aan zakken. 'Begrijp je dan niet dat ik niet zonder mijn vader kan? Eerst mamma, en nu pap ook nog?'

Hij sloeg zijn armen steviger om haar heen. Hij begreep het heel goed, maar hij vond ook dat Loet moest kunnen doen wat hij wilde. Hij streelde haar rug en hield haar liefdevol vast. 'Alicia, je hebt mij en de kinderen. Je kunt best zonder je vader en hij verdwijnt niet uit je leven. Hij blijft altijd je vader, ook al woont hij in Frankrijk.'

'Maar ik wil het niet!' zei ze, terwijl ze zich losmaakte uit zijn omarming. 'Ik denk dat ik maar even een eind ga fietsen. Frisse lucht zal me goed doen.'

'Beloof je dat je niet naar je vader toe gaat?'

'Mij best.'

Ze ging inderdaad niet naar haar vader. Ergens moest ze André en Liselotte wel gelijk geven. Vaders hadden het recht om hun eigen leven te leiden. Maar ja, dat gold alleen voor andere vaders, niet voor de hare. Toch zou ze hem niet lastig vallen. Ze had opeens een ander idee gekregen en ze glimlachte geheimzinnig voor zich uit terwijl ze naar het centrum van de stad fietste, waar ze haar fiets tegen een huis zette en aanbelde.

'Alicia, wat een verrassing!' riep de vrouw uit die opendeed. 'Wat leuk. Kom binnen. Dat vind ik nou nog eens gezellig. Ga zitten. Zal ik koffie zetten?'

'Dat hoeft niet. Ik heb liever een glas water.'

'Sorry, maar dat heb ik niet in huis.'

'Kraanwater is ook goed,' zei Alicia.

'Oké, echt geen koffie? Een glas wijn?'

'Nee, nee, kraanwater is prima, Kieny.'

De vrouw haalde een glas frisdrank voor zichzelf en een glas water voor Alicia op en zette het op de salontafel. 'Wat een verrassing dat je er bent. Het is lang geleden dat ik je gezien heb. Kom je met een reden of eh ...' Kieny's gezicht klaarde op. 'Je vader heeft je gestuurd. Hij heeft zich bedacht en durft het zelf niet te zeggen.'

'Sorry, maar ik weet niet wat je bedoelt. Mijn vader heeft me niet gestuurd, maar ik kom wel voor hem.'

'Zie je? Ik wist het.' Kieny straalde. 'Vertel.'

'Nou, pap wil naar Frankrijk verhuizen en ...'

'Naar Frankrijk?' riep Kieny dwars door Alicia's woorden heen. 'Wil hij verhuizen? Wanneer?'

'Binnenkort.'

'Maar nou snap ik het. Nu begrijp ik waarom hij zo ... Naar Frankrijk? Wat schitterend. Dat is mijn tweede vaderland. Toen mijn man nog leefde gingen we er elk jaar naartoe. Prachtig land. Waar wil hij gaan wonen?'

Alicia begreep dat er iets misging. Kieny was veel te enthousiast over Frankrijk. Dit liep niet zoals ze in gedachten had gehad. 'Eh, dat weet ik eigenlijk niet.'

'Oh?'

'Nee, ik eh ... misschien heeft hij het wel gezegd, maar heb ik het niet onthouden. Ik vind het namelijk helemaal niet leuk dat hij weggaat en ik had gedacht ...'

'Wat?'

'Nou ja. Je belde mij toch laatst om te vragen hoe het met hem was en ...'

'En?'

'Ik dacht: misschien kun jij hem overhalen om hier te blijven.'

De oudere vrouw keek de jongere aan. Het was duidelijk dat Loet niet verteld had dat ze elkaar al telefonisch gesproken hadden en hoe dat gesprek verlopen was. Nou, dat hoefde Alicia ook niet te weten. Kieny wist nu de reden waarom het gesprek zo raar en onvriendelijk verlopen was. 'Ik kan niets beloven,' zei ze glimlachend, 'alleen dat ik heel binnenkort eens bij je vader langsga voor een praatje over Frankrijk. Goed?'

9

Loet zat met zijn hoofd in een zolderkastje onder het schuine dak van zijn huis. Heel in de verte klonk een geluid, maar het duurde even voor het tot hem doordrong wat voor geluid het was. De bel. De voordeurbel! Hij kwam te gehaast overeind en stootte zijn hoofd aan het houten deurkozijn. Even bleef hij versuft zitten, toen krabbelde hij overeind. Eigenlijk had het geen zin om nu nog naar beneden te lopen. Degene die aangebeld had, zou vast al weg zijn. Maar zeker weten deed hij dat niet en hij was toch nieuwsgierig genoeg om even te gaan kijken. Hij liep de twee trappen naar de benedenverdieping af en ging naar de voordeur. Maar toen hij hem open had, zag hij niemand staan. Dus toch te laat. Wel kwam er een heerlijke warme voorjaarswind naar binnen en even bleef hij staan om diep adem te halen. Mmm, hij hield van het voorjaar.
'Je bent er toch!'
Hij keek op en zag Kieny op zich afkomen, die blijkbaar net weer in haar auto had willen stappen. Waarom had hij van de zwoele wind willen genieten? Hij zuchtte.
'Ik had drie keer gebeld, maar je deed niet open.'
'Ik was op zolder aan het werk en heb de bel maar één keer gehoord.'
'Nou ja, je bent er en dat is het belangrijkste.' Ze wilde duidelijk naar binnen, maar daar had Loet geen zin in. Aan de andere kant wilde hij ook niet op straat met haar staan kibbelen. Dus ging hij opzij, zodat ze binnen kon komen. Ze knoopte haar dunne mantel open en wilde hem uittrekken, maar hij was haar voor. 'Hou maar aan,' zei hij. 'Ik heb geen tijd voor bezoek.'
'Nou ja, zeg, jij moet toch ook wel even pauze nemen? Een kopje koffie drinken?'
'Kieny, ik ben duidelijk genoeg geweest aan de telefoon. Ik snap

niet wat je hier doet.' Hij zuchtte nu hoorbaar. Had ze een bord voor haar hoofd? Vier keer had hij in dat telefoongesprek gezegd dat hij geen zin in bezoek of contact had en nu stond ze hier gewoon vrolijk bij hem in huis? 'Kieny, ik heb hier geen zin in en dat weet je.'

'Klopt, maar ik weet nu waarom en ik wou je even vertellen dat dat totaal geen probleem is. Integendeel zelfs!' Lachend liep ze de kamer in en keek goedkeurend rond. 'Netjes heb je het hier. Doe je dat zelf of helpt Alicia je?'

Hij gaf geen antwoord, bleef staan, in de hoop dat ze begreep dat ze echt niet welkom was. Wat had Paula toch in haar gezien?

'Je was natuurlijk bang dat ik niet mee wilde naar Frankrijk en daarom zei je dat je geen contact met me wilde, maar Loet, ik wil niets liever dan mee! Frankrijk is een prachtig land. Ik ben er gek op. Mijn hele leven al. Waar ga je precies wonen?'

Hij opende zijn mond om Bretagne te zeggen, maar hield zich in. Hoe kon zij weten dat hij naar Frankrijk ging? En dan nog ... Hij wilde haar niet mee hebben. Echt niet. 'Kieny, ik heb gezegd dat ik geen zin had in contact met je en ik weet dat dat niet aardig klinkt, maar ik dacht dat je er meer aan had dat ik eerlijk was. En ik sta daar nog steeds achter, dus ik wil dat je nu vertrekt.'

'Maar Loet, begrijp het dan. Ik ga gewoon gezellig met je mee naar Frankrijk!' Ze keek hem vol enthousiasme aan en hij schudde zijn hoofd voor zoveel onbegrip. 'Helemaal niet. Ik ga alleen. Ik wil jou niet mee hebben.' Er zat niets anders op dan keihard te zijn, begreep hij, al viel hem dat zwaar. Zo was hij niet, maar wat had ze eraan om mee te gaan als hij zo duidelijk liet blijken dat hij haar niet mocht? Zoiets begreep hij dus niet.

'Je bent gewoon bang dat je last van mij zult hebben,' zei ze lachend. 'Bang dat ik heimwee krijg en je me halsoverkop terug moet brengen. Maar daar hoef je echt niet bang voor te zijn. Ik spreek trouwens een aardig mondje Frans, dus misschien heb je zelfs wel profijt van mij.

En ik kan schoonmaken als de beste. Dus wat let je?'

Genoeg, bedacht hij grimmig. Hij liep op haar af, pakte haar bij een elleboog en tilde haar van de bank omhoog. 'Ik wil dat je vertrekt,' zei hij.

'Maar lieverd, je zult alleen maar plezier van me hebben en wat heb je eraan om in je eentje te zitten verpieteren in dat prachtige land? Dat zou Paula ook niet gewild hebben.'

Dat was de druppel. Dat had ze niet mogen zeggen. Dit was iets tussen hem en haar, daar had ze Paula niet bij mogen halen. 'Ik ga daar helemaal niet in mijn eentje zitten en nu wegwezen.' Hij opende de deur, zag nog net dat ze hem met grote, verschrikte ogen aankeek en gooide toen de deur in het slot. Lieve help. Een vrouw die je probeerde te versieren was aardig, maar dit werd gewoon vervelend. Hij liep naar de keuken om koffie te zetten, want natuurlijk had ze gelijk. Hoe druk hij ook was, een kop koffie wilde hij wel graag hebben. Plotseling grinnikte hij voor zich uit. Zoals ze gekeken had toen hij zei dat hij er niet alleen ging zitten. Nou ja, ze had er echt zelf om gevraagd.

Hij dronk staand in de keuken zijn koffie op en verdween toen weer snel naar de zolder. Als hij het huis binnenkort leeg moest afleveren, dan moest het ook leeg zijn en wat hadden Paula en hij veel troep bewaard! Vooral Paula. Van veel dingen die hij vond wist hij het bestaan niet eens!

Hij stak juist zijn hoofd weer het zolderkastje in toen hij opnieuw de deurbel hoorde. Die was niet te stuiten, die vrouw. Maar hij liet zich niet weer verleiden de trappen af te lopen en trok met een grimmig gezicht een grote doos van achteruit het kastje naar zich toe. Zijn eigen schoolrapporten lagen daar. Dat die er nog waren! Hij liet zich zakken en bekeek verbaasd het ene na het andere papier en dacht terug aan zijn lagere school. Hij was zo verdiept in zijn herinneringen dat hij niet hoorde dat hij geroepen werd. Pas toen er iemand de zolder opstapte, drong het tot hem door dat hij niet alleen in huis was.

'Pa?'

'Liselotte, meid, wat laat je me schrikken!' Hij voelde echt zijn hart even stoppen met slaan. 'Wat kom jij doen?'

'Het lijkt wel of je een slecht geweten hebt!'

'Nee, natuurlijk niet, maar ik had je niet gehoord.'

'Dat dacht ik al. Ik heb gebeld en gebeld en ten slotte ben ik maar met mijn eigen sleutel naar binnen gegaan.'

'Heel leuk dat je er bent, hoor. Echt. Ik schrok gewoon.' Hij liep op haar af en begroette haar met een hartelijke kus. 'Zullen we naar beneden gaan?'

'Oké, ik lust wel koffie, maar dan wil ik je graag helpen, want daar kom ik eigenlijk voor.'

'Echt? Wat een heerlijke verrassing! Daar ben ik blij mee, want ik had er geen idee van dat er zo veel spullen op zolder lagen. Moet je kijken: mijn eigen rapporten nog. Ik wist werkelijk niet dat Paula dat allemaal bewaard had.'

Liselotte moest lachen. 'Leuk, laten we die meenemen. Ik wil wel even zien of jij vroeger een braaf jongetje was.'

Ze dronken samen koffie en bekeken wat er in de doos zat. Het waren allemaal dingen van Loet tot aan de dag waarop hij getrouwd was. 'Die doos bewaar ik, hoor. Die neem ik mee. Veel te leuk om te hebben,' zei hij opgetogen. Het was een verademing om Liselotte thuis te hebben. Ze was zo anders dan Alicia, een en al enthousiasme.

'Dus je hebt het huis al verkocht?' vroeg ze terwijl ze weer naar de zolder liepen.

'Nee, dan had ik het je heus wel verteld. Ik heb een bod gehad en een tegenbod gedaan. Nu is het wachten op hun reactie,' vertelde Loet. 'Maar als het doorgaat, willen ze er snel in en dat vind ik alleen maar prima.'

'En is dat bod door twee lesbische vrouwen gedaan?'

Loet keek haar verbaasd aan. 'Daar heb ik het toch met niemand over gehad?'

'Nee, maar Alicia had ze gezien en ze dacht dat er geen andere kijkers waren geweest, dus ...'

'Aha, en?'

'Niks en! Ik vraag alleen maar,' zei Liselotte.

'Maar wel met iets van eh ... Alsof je erop tegen bent.'

'Natuurlijk niet, dat slaat toch nergens op. Ik was gewoon benieuwd of Alicia gelijk had.'

Loet schudde zijn hoofd. Het werd echt de hoogste tijd dat hij verdween. Hij vond het niet prettig dat zijn jongste dochter hem zo in de gaten hield. Niet alleen voor zichzelf, maar vooral voor haar. Ze moest haar aandacht op andere dingen richten, op dingen die haarzelf aangingen, niet op hem.

'Welk kastje zal ik doen?' vroeg Liselotte.

'Het linkerkastje is leeg, ik was met het tweede bezig. Wil jij die doen?' Hij wees naar het volgende kastje.

'Prima.' Ze zakte door haar knieën en opende het deurtje. Ook dat kastje stond vol dozen en ze haalde ze er allemaal uit. In één doos zaten stapels brieven. Aan de data in de stempels op de postzegels te zien waren het brieven van meer dan dertig jaar geleden. In een andere doos vond ze ook brieven. Ze bladerde er wat doorheen.

'Pa, dit is allemaal post uit de jaren zeventig en tachtig. Wil je die bewaren?'

Loet wierp een blik op het grote aantal poststukken en schudde zijn hoofd. 'Nee, die kunnen weg. Ik wist niet eens dat we ze hadden en ik heb ze nooit gemist. Doe maar weg, ik wil ze ook niet zien, want dan kom ik nooit klaar met opruimen. Steek ze maar in de brand.'

'Mag ik de postzegels eraf halen? Bij ons in de kerk vragen ze daar altijd om. Ze verkopen ze voor de zending.'

Hij keek haar aan, maar hij schudde opnieuw zijn hoofd. 'Sorry, maar dat wil ik niet, want dan moet iemand, jij of ik, alles stuk voor stuk door de handen laten gaan. Nee, ik neem ze zo wel mee en verbrand ze.'

Liselotte keek met een spijtige blik naar de zegels, maar ze moest hem wel gelijk geven. Als zij de dozen mee zou nemen, zou ze zich bij elke brief afvragen wie de afzender was, ze zou heel misschien zelfs wel brieven gaan lezen en dat kon niet. En als haar vader het deed, kwam hij inderdaad nooit klaar. 'Oké,' zei ze. 'Wat heb jij daar?'

Loet haalde een papieren mandje tevoorschijn dat behoorlijk in de kreukels had gezeten. Ook een paar kindertekeningen kwamen uit de doos en een schilderijtje, geplakt door kleuterhandjes. 'Ik geloof dat dit dingetjes van jullie zijn, toen jullie klein waren.'

'Echt? Wat leuk!' Ze kroop naar hem toe en keek ook in de doos, haalde er een breiwerkje uit waarvan ze niet kon zien wat het voor moest stellen. Ze wist echter wel wie het gemaakt had: Alicia. Ze herinnerde zich nog goed dat haar kleine zusje wilde leren breien. Ze glimlachte en zocht verder in de doos, maar hoe ze ook keek en graaide, ze vond niets wat ze zelf gemaakt had. 'Er zit alleen spul van Alicia in,' zei ze. 'Kijk eens of er ook van mij een doos is.'

Na twee uur werken waren de zolderkastjes allemaal leeg. Ze hadden de inhoud in drie afdelingen gesplitst. De eerste met spul wat meteen weg kon, de tweede met dingen die Loet nog wilde bekijken en de derde stapel was voor Alicia. Voor Liselotte was er niets. Ze haalde eens diep adem en keek haar vader aan. 'Eigenlijk wist ik dat al wel. Ma was immers nooit echt gek op mij. Ze was ook niet trots als ik een mooie tekening gemaakt had of een goed cijfer haalde. Van Alicia heeft ze alles bewaard. Van mij nog niet eens een rapport.'

'Het spijt me, meisje,' zei Loet en hij legde een arm om haar schouder.

Ze glimlachte. 'Geeft niks. Ik had het ook niet verwacht. Dat ze alles weggedaan heeft, vind ik wel bij haar passen. Het doet alleen even pijn om te zien ...'

'Ik snap het. Het is ook niet eerlijk. Het spijt me echt. Als ik het geweten had, had ik er iets tegen gedaan. Het is nooit in me opgekomen dat je tekeningen kon bewaren of weggooien. Ik dacht er niet aan. Paula deed alles in huis, zo waren de taken verdeeld. Maar ze hield wel van jou!'

'Dat geloof ik ook wel. Later, toen ik groot was. Ze heeft het ook nog heel nadrukkelijk gezegd voor ze stierf en daar ben ik erg blij om, maar het gemis van haar liefde in mijn jeugd zal ik blijven voelen. Daarom doet het zeer dat ze zelfs onderscheid maakte in het bewaren. Een extra bewijs dat ik niet gewenst was.'

'Liselotte, wat zeg je nou? Niet gewenst? Dat mag je niet zeggen, dat is helemaal niet waar. Goed, je kwam onverwachts, we hadden er nog niet op gerekend, maar je was heel erg welkom, hoor.'

'Bij jou, ja.' Ze glimlachte haar vader toe en kwam overeind.

'Bij Paula ook. Ze was vreselijk blij tijdens haar zwangerschap en ze verheugde zich er echt op dat je kwam, maar toen je er was, wist ze zich geen raad met jou. Dat was heel jammer, heel erg zelfs, maar helaas was het zo. Ze kon niet van je genieten. Dat was bij Alicia anders.' Hij knikte. 'Maar zeg nooit meer dat je niet gewenst was, want dat was je wel!'

'Oké, sorry, pa. Ik bedoelde het ook niet echt zo. Zal ik die dozen straks bij Alicia brengen? Ik wilde toch nog even naar haar toe.'

'Nou, graag. Misschien ...'

'Wat?'

Loet haalde zijn schouders op, pakte ook een doos op en liep naar de zoldertrap. Beneden keek hij haar glimlachend aan. 'Ik krijg de indruk dat jij het alleen maar leuk vindt dat ik naar Frankrijk ga verhuizen.'

'Dat is ook zo. Ik vind het geweldig voor je dat je toch nog je droom waar kunt maken! En wat let je? Je bent alleen, niemand om voor te zorgen. Dus moet je dit doen, als dit is wat jij wilt.'

'Niemand om voor te zorgen,' herhaalde hij. 'Zal ik trouwens eerst even een paar boterhammen voor ons smeren? Ik heb wel trek gekregen.'

'Graag.'

'En zal ik er een ei bij bakken?'

'Lekker, pa, maar wat bedoelde je?'

'Dat weet je wel. Alicia is het er zo mee oneens dat ik weg wil. Ze zoekt allerlei argumenten om me hier te houden, ze is boos of verdrietig. Soms begin ik zelfs te twijfelen of ik er wel goed aan doe.'

'Pa, natuurlijk is het goed. Ik denk zelfs dat het voor Alicia heel erg goed is. Ik denk echt dat het uiteindelijk positief afloopt voor haar.'

'Dat hoop ik, maar soms voel ik medelijden met haar.'

'Logisch, ze is je dochter en ze is altijd het kleine meisje geweest. Het is niet leuk om te zien dat je haar verdriet doet, maar ze is niet eerlijk. In feite wil zij ook haar eigen leven leiden, al kan ze dat nog niet goed, dus moet ze jou wel jouw leven laten leiden. Ik begrijp haar heel goed, maar ik begrijp jou ook. Je moet gaan, hoor je! Alicia komt er echt wel overheen en zoals ik zei: ik denk dat het haar alleen maar goed zal doen. Ze moet je loslaten. Als ze dat niet kan, moet jij haar loslaten.'

Loet draaide zich naar het fornuis en zette de koekenpan op het vuur. Hij voelde dat zijn ogen vochtig werden. Wat was Liselotte toch een geweldige dochter. Ze had veel gemist in haar jeugd. Dat had hij net weer eens goed beseft. Maar ze was er enorm sterk uitgekomen en ze was vast veel gelukkiger dan Alicia, die altijd vertroeteld was.

'Ha, zus, ik heb wat voor je.'

'Liselotte, wat doe jij nou hier? Hoe ben je gekomen?'

'Met de auto. Ik ben er al uren. Had je niet gezien, hè?'

'Nee, anders was ik wel direct naar pap gegaan. Leuk je te zien!' Ze wilde haar zus omhelzen, maar dat ging niet goed. Liselotte hield een stapel van drie dozen in haar armen.

'Eerst maar even iets kwijt zien te raken,' zei Liselotte lachend. 'Mag ik ze op tafel zetten?'

'Tante Lies!' riepen Else en Nina in koor. 'Wat heb je meegenomen?'

Else deed nieuwsgierig een doos open.

'Hé, wacht even, jongedame. Die dozen zijn voor je moeder.' Maar Liselotte kon niet voorkomen dat Else er een tekening uit haalde.

'Heeft Robbie die gemaakt?' Else bekeek de tekening van alle kanten en wist blijkbaar niet wat de boven- of onderkant was.

'Nee, je moeder,' zei Liselotte lachend, terwijl ze haar zus met een warme omhelzing begroette.

'Ik?' vroeg Alicia verbaasd. Ze greep de tekening uit Elses hand en ook zij wist niet hoe ze hem moest houden. 'Wat stelt dat voor?' vroeg ze lachend. 'Die heb ik heus niet gemaakt.'

'Jawel,' zei Liselotte, 'het staat achterop.'

Inderdaad had hun moeder keurig naam en datum achterop geschreven.

'Hoe kom je daar nou aan?' vroeg Alicia.

'Pa is de zolder aan het opruimen. In al die dozen zitten spullen van jou. Tekeningen, knutselwerkjes, rapporten.'

'Meen je dat nou echt? Heeft pap dat allemaal bewaard?' Alicia maakte ook een doos open en keek overdonderd naar de inhoud. 'Ik dacht dat ik niets meer had van vroeger. Ja, foto's, maar verder niks.'

'Nou meid, dan kun je je plezier nog op,' zei Liselotte lachend.

'Hier zit voldoende in om een paar dagen mee bezig te zijn als je alles goed wilt bekijken, maar om eerlijk te zijn was het ma die alles bewaarde. Pa wist niet eens dat het op zolder stond.'

Nina begon ook in de dozen te graaien, maar blijkbaar vond Alicia dat niet leuk. 'Ik wil eerst zelf kijken, dus afblijven.' Ze deed de dozen weer dicht. 'Ik breng ze even naar boven.'

'Ik help wel,' zei Liselotte.

Samen liepen ze de trap op naar de slaapkamer van Alicia en André.

'Ze moeten hier maar zolang staan,' zei Alicia, wijzend op een plekje naast het nachtkastje aan haar kant van het grote bed. Ze zette haar doos neer en keek Liselotte ernstig aan. 'Dus pap gaat echt? Hij is zelfs het huis al aan het leegmaken?'

'Ja, hij gaat echt.' Liselotte keek haar zus net zo ernstig aan. 'En je moet hem laten gaan.'

'Dat zegt iedereen, maar dat gaat zomaar niet. Ik ...' Alicia liet zich op het bed zakken. 'Hoe moet dat als hij er niet meer is? Ik kan nooit meer even snel bij hem een kopje koffie drinken, nooit meer even snel iets vertellen. Hij kan niet naar het afzwemmen van de kinderen en wat nog veel en veel erger is: wat moeten we doen als hij ziek wordt? Wie verzorgt hem dan?'

Liselotte ging naast haar zitten en legde haar hand op Alicia's arm. 'Dat laatste, ja, dat kan ik wel begrijpen dat je daarmee zit. Ma was ook zomaar opeens ziek.'

'Precies en mamma ging zelfs ... dood,' fluisterde ze. 'Hoe moet dat als pap op sterven ligt? Wie is er dan bij hem? Dat kan toch niet, Liselotte? Kun jij het hem niet uit zijn hoofd praten?'

'Zusje, ik weet dat je geen vertrouwen meer in het leven hebt. De ene dag lijkt ma nog gezond en de volgende is ze ongeneeslijk ziek. En inderdaad, dat kan iedereen overkomen. Maar het is altijd nog zo dat er meer mensen niet ernstig ziek worden dan wel. Pa kan best bij die andere categorie horen. Dat weten we niet. Zoiets weet je nooit. Jij kunt bij wijze van spreken morgen ook wel dood zijn en dan is pa hier gebleven voor jou en ben jij er niet meer.'

'Doe niet zo raar! Natuurlijk ga ik morgen niet dood.'

Liselotte haalde haar schouders op. 'Alles kan. Je weet niets met zekerheid, maar je moet je leven niet door die angst laten beheersen.' Ze lachte. 'Er schiet me opeens iets te binnen. Ik was met zwangerschapsverlof van Sem. Veertien jaar geleden dus. We woonden nog hier, in Eindhoven en Rutger werkte al in Zeeland. Ik vond het eigenlijk niet leuk dat hij elke dag zo'n eind moest rijden. Sem kon immers elk moment komen. Die dag was het ongelooflijk rotweer. Het sneeuwde en hagelde en af en toe kon je geen hand voor ogen zien. Ik werd bang, doodsbang. In mijn gedachten zag ik Rutger al ergens met auto en al in het water liggen. Natuurlijk weet ik ook wel dat de hormonen een belangrijke rol speelden, normaal gesproken was ik niet zo bang uitgevallen, maar toen had ik het niet meer. Op de radio zeiden ze zelfs dat het lang geleden was dat het zulk slecht weer was en dat de mensen beter thuis konden blijven als ze niet per se de weg op hoefden. Ik telde de minuten af. Althans, Rutger had gezegd dat hij rond een uur of zes weer thuis zou zijn. Dus ik telde af tot zes uur. Plotseling stond hij in de kamer. Het was nog maar drie uur. Ik vloog hem om de hals en begon te schelden en schreeuwen. Tja, de zwangerschapshormonen,' zei Liselotte lachend. 'Maar ik was natuurlijk vreselijk gelukkig dat hij veilig thuis was. En toen stelde hij voor om even met de auto boodschappen te doen. Dat vond ik fantastisch, want ik had zelf weinig zin om naar buiten te gaan. Met de bevalling voor de deur, was het wel zo prettig het een en ander in huis te hebben. Dus ik schreef een lange waslijst en hij ging weg. De supermarkt was maar twee straten verderop. Nog geen tien minuten nadat hij weg was, belde hij op. Hij had een ongeluk gehad!'

'Wat? Daar weet ik niets van.'

'Nee, zo erg was het ook niet. Er was iemand tegen hem aangereden, flinke deuk en ja, nou weet ik het weer. 's Avonds braken de vliezen en die nacht werd Sem geboren. Misschien hebben we het wel niet eens verteld van die botsing, want dat was door Sem niet meer belangrijk. Maar weet je, ik heb van dit verhaal wel iets geleerd. Ik was de hele dag zenuwachtig en bang geweest dat Rutger een ongeluk zou krijgen en toen hij thuis was, was ik helemaal opgelucht en vervolgens krijgt hij bij ons om de hoek toch een aanrijding. Dus heeft het geen zin om bang te zijn. Je weet toch nooit wanneer er iets gebeurt. Je hoeft je pas zorgen te maken als er echt iets aan de hand is, want als je je zorgen maakt om iets wat misschien toch niet gebeurt, heb je er alleen jezelf maar mee.'

Alicia zweeg, maar Liselotte wist dat ze geluisterd had. Natuurlijk begreep ze de angst van haar zus. Juist door de onverwachte ziekte van hun moeder. Maar ze vond ook dat ze gelijk had: het had echt geen zin om bang te zijn voor iets wat misschien nooit zou gebeuren.

'Als pa echt ziek wordt in Frankrijk, halen we hem toch gewoon hierheen!' zei ze.

'Voor jou lijkt alles zo gemakkelijk,' protesteerde Alicia nu toch.

'Gemakkelijk niet, maar misschien ben ik net iets verstandiger dan jij.'

'Verstandiger?'

'Nou ja, nuchterder dan. Of zelfstandiger. Ik gun het pa ontzettend en als het misgaat, dan zien we dan wel weer. Dit wil hij zo graag. Dit moeten we hem laten doen.'

Alicia stond op. 'Je hebt vast gelijk, maar gevoelsmatig kan ik er niet mee uit de voeten. Ik vind het ook vreselijk dat ons huis verkocht wordt. Ik had het idee gekregen om het zelf te kopen, maar dat wil André niet.' Ze keek haar zus verongelijkt aan.

'Meid, dat heeft toch ook geen zin! Als jij in het huis van pa woont, is het toch het huis van vroeger niet meer.'

'Dat zei André ook al, maar kom, ik moet naar beneden. Ik wil de kinderen niet zo lang alleen laten. Eet je met ons mee?'

'Nee, ik heb net bij pa al wat gegeten, maar een kopje thee gaat er wel in voor ik weer naar huis rijd.'

'Tante Lies,' gilde Robbie toen ze de kamer weer inkwamen.

'Hé, jongen, was je er toch wel?' Hij rende op haar af en Liselotte tilde hem lachend op. 'Je bent gegroeid, zeg. Je wordt al echt een grote knul.'

Hij straalde van trots. 'Ik heb met Laurens een kasteel gebouwd.'

'Leuk, maar wie is Laurens?'

'Die woont hiernaast,' zei Alicia. 'Hij is een paar jaar ouder, maar ze kunnen het samen goed vinden.'

Liselotte liep achter Alicia aan naar de keuken. 'Gaat het tegenwoordig een beetje met hem?' vroeg ze zacht terwijl Alicia de waterkoker vulde.

'Het is moeilijk, maar het lukt redelijk. Hij begint in te zien dat ik het meen als ik iets zeg.'

'Hartstikke goed van je, joh. Heel dapper vind ik dat.'

'Hm.' Alicia pakte de theepot uit het kastje en zuchtte. 'Dus pap heeft het huis echt verkocht.'

'Nee, nog niet. Hij was gewoon vast begonnen met opruimen. Als je jarenlang ergens gewoond hebt, heb je veel spullen in huis en het kost tijd om dat allemaal te bekijken en erover te beslissen of je het wilt houden of niet. Hij vroeg me trouwens iets tegen je te zeggen.'

'Ja, haha. Of ik niet meer wil zeuren dat hij weggaat.'

'Nee, dat niet. Hij vroeg of er iets bij hem in huis is, wat jij graag wilt hebben, Alicia.'

'Oh ja?' Ze keek haar verrast aan. 'Dat is er zeker.'

'Wat dan?' Liselotte was ook verrast, omdat Alicia meteen al iets wist. Zelf had ze geen antwoord op de vraag geweten en gezegd dat ze er even over na wilde denken.

'De gebloemde stoel bij het raam.'

Liselotte knikte begrijpend. Dat was moeders stoel geweest. Voordat ze ziek werd, had ze daar altijd in gezeten. Vlak voor het raam, zodat ze zowel de huiskamer in kon kijken als naar buiten. 'Maar die stoel past helemaal niet bij jullie inrichting.'

'Dat is zo, maar ik wil hem toch hebben. Misschien zet ik hem wel op de slaapkamer of desnoods op zolder, maar als het me dan allemaal te veel wordt, kan ik daar even gaan zitten. Ik denk dat ik me dan heel dichtbij mamma zal voelen.'

'Oké, zeg jij het zelf tegen pa?'

Alicia haalde haar schouders op. 'Ik dacht dat hij een relatie wilde met Kieny.'

Liselotte kon deze overgang niet volgen en ze wist zo snel ook niet wie Kieny was. Ze fronste haar wenkbrauwen en keek haar zus vragend aan.

'Kieny was de laatste jaren mamma's vriendin. Misschien heb je haar wel nooit ontmoet. Ja, toch, ze was natuurlijk ook op de be... begrafenis.'

'Daar waren zo veel mensen. Dat kan ik me niet herinneren. Maar relatie?'

Alicia knikte. 'Ze belde me op. Ze zocht contact met pap, maar dat lukte niet. Hij was toen juist in Frankrijk. Hoe zou jij het vinden als pa weer een relatie krijgt?'

'Prima. Pa is nog jong. Ik zou het niet leuk vinden als hij de rest van zijn leven alleen blijft.'

Alicia zette de glazen theekopjes die ze net uit het kastje gehaald had met zo'n knal op het aanrecht dat er eentje knapte. 'Jij denkt ook altijd wat anders dan ik. Kunnen we het dan echt nooit ergens over eens zijn?' Ze draaide echter snel haar hoofd af. Ze had best door hoe oneerlijk ze was, want was ze niet zelf naar Kieny toe geweest om haar aan pap te koppelen? Liever een relatie met Kieny dan naar Frankrijk, had ze op dat moment gedacht. In elk geval had ze niet het recht zo tekeer te gaan tegen haar zus. 'Sorry,' zei ze zacht en stopte haar een kop thee in handen.

10

Plotseling ging alles in sneltreinvaart. De lesbische dames die het huis heel graag wilden hebben, maar niet het bedrag op tafel wilden leggen dat Loet vroeg, hakten onverwachts toch de knoop door en kochten de woning. Alleen onder de voorwaarde dat ze er snel in konden. Dat was voor Loet geen bezwaar. Hij wist inmiddels wat hij mee wilde nemen en wat niet. Veel had hij al weggegooid of naar de kringloop gebracht. Hij was allang op het stadhuis geweest om uit te zoeken wat hij allemaal moest doen om naar Frankrijk te verhuizen en Evert had de zaakjes in Frankrijk geregeld zodat Loet daar definitief zijn intrek kon nemen.

Ze besloten de koopakte op 31 mei te laten passeren. De laatste dag dat Evert nog in Nederland was. Na het tekenen van de koopakte van Loets huis, zou er dan notarieel vastgelegd worden dat Loet mede-eigenaar werd van Everts huis met grond. Het geld zou door de bank geregeld worden.

Op 1 juni zou de verhuiswagen vertrekken. Loet zou erachteraan rijden. Evert had dan niet veel meer te verhuizen en zou op eigen gelegenheid naar Frankrijk rijden. Logisch, want beide mannen wilden hun auto ter plekke hebben.

Loet voelde de adrenaline door zijn aderen stromen toen hij alles met de makelaar en Evert geregeld had. Over drie weken was het definitief. Dan woonde hij hier niet meer en had hij een Frans adres. Hij kon het nauwelijks geloven. Het grappige was ook dat hij zich veertig jaar jonger voelde, weer die jongen die toen na het eindexamen liftend naar Frankrijk was vertrokken, het grote avontuur tegemoet.

Het enige waar hij vreselijk tegenop zag, was dat hij dit laatste nieuws nu aan Alicia moest vertellen. Ze kon het echt maar beter zo snel mogelijk van hemzelf horen, voordat iemand anders het nieuws overbracht. Hij wist dat andere buren de beide kooplustige dames gezien hadden en zich afvroegen wat die hier nu alweer moesten. En vermoedelijk had Alicia hen ook wel gezien. Hij keek op zijn horloge en zag dat het twee uur was. Een uitstekend tijdstip. De kinderen op school. Alicia niet naar haar werk. Het liefst sprak hij haar onder vier ogen. Snel bracht hij zijn kopje en bordje naar de keuken, maar juist toen hij zich weer omdraaide om naar de kamer en achterdeur te lopen, zag hij een auto voorbijrijden. Van schrik trok hij zijn hoofd terug in de hoop dat de chauffeur hem niet gezien had. Het was Kieny. Wat moest die hier nou weer? Wat een hardleers mens! Hier had hij dus echt geen zin in. Maar dat kwam goed uit. Als ze over een halve minuut aanbelde, was hij niet thuis! Hij grinnikte en deed wat hij van plan was, rende door de huiskamer naar de achterdeur en verdween zijn tuin in. Via hat paadje achter de tuinen kwam hij in de tuin van Alicia en vandaaruit stapte hij via de schuur haar huis in. Vanbinnen had hij plezier. Plezier omdat hij Kieny ontlopen had zonder een smoesje te hoeven bedenken. Hij klopte op de huiskamerdeur en liep naar binnen. 'Alicia, ik ben het!' riep hij, maar bleef met open mond staan, want hij keek recht in de ogen van Kieny.

'Loet! Wat een aangename verrassing om jou hier te zien. Wat leuk dat je ook juist op bezoek komt.' Stralend kwam ze met uitgestoken handen op hem af en hij kreeg het vermoeden dat ze hem wilde gaan zoenen. Dat niet dus! Hij deed een stap naar achteren en stak zijn handen afwerend omhoog. Ze voelde gelukkig meteen aan dat hij niet van een te intieme begroeting gediend was en hield zich in. Ze was blijkbaar niet van plan om hem echt op stang te jagen.

'Pap? Wat leuk dat je er bent. Ik was juist van plan even bij jou langs te gaan, maar toen kwam Kieny. Willen jullie allebei thee?'

'Heerlijk, Alicia. Loet, kom hier zitten.' Kieny nam op de bank plaats en klopte op de lege plek naast zich.

'Nee, nee, ik hoef geen thee en ik ga ook niet zitten. Ik sta op het punt om boodschappen te doen en ik vroeg me af of ik ook iets voor jou mee kan nemen, Alicia.'

Ze keek hem met grote ogen aan. 'Voor mij?'

'Ja, koffie, brood. Heb je nog iets nodig?'

'Wat vind ik dat nou een geweldig lief gebaar van je, Loet,' bemoeide Kieny zich ermee. 'Je bent echt een lieverd, vind je ook niet, Alicia?'

'Natuurlijk vind ik dat,' maar ze keek haar vader onderzoekend aan.

Loet begreep heel goed waarom. Hij had nog nooit gevraagd of hij iets voor haar kon meenemen, dus waarom vandaag wel? Hij had echter niet zo snel een andere smoes kunnen bedenken. 'Niets dus,' zei hij. 'Oké, dan ga ik weer. Een prettige dag nog samen.'

Hij wilde vertrekken zoals hij gekomen was, maar in de tuin haalde Alicia hem in. 'Pap, wat was er nou? Zoiets doe je anders toch nooit?'

'Nee, ik ga ook helemaal geen boodschappen doen. Ik kwam om even met jou te praten. Ik wist niet dat je bezoek had en ik zit niet op een gesprek met Kieny te wachten.'

'Waarom niet?'

'Ik mag haar niet.'

'Niet?'

'Nee, helemaal niet en dat weet ze. Ik snap dus ook niet wat ze bij jou doet. Wil ze soms dat jij een goed woordje voor haar doet bij mij? Nou, dat kun je je besparen, want ik heb haar al een paar keer gezegd dat ik niet in haar geïnteresseerd ben. Ze wil zelfs met me mee naar Frankrijk. Nou, dat dus al helemaal niet!' Hij draaide zich geïrriteerd om om weg te lopen, maar hield stil en keek haar weer aan. 'Als ze weg is en de kinderen zijn nog niet uit school, kom je dan even bij mij? Ik wilde je iets vertellen.'

'Over het huis?'

Zie je, dacht hij, ze had inderdaad de vrouwen gezien. Wat goed van hem dat hij zo snel naar haar was toe gegaan. Hij knikte.

'Hebben ze het gekocht?'

'Straks, meisje, straks als je bij me bent of vanavond, wanneer het maar uitkomt.'

'Ik kom eraan,' zei ze. 'Zet maar vast thee.'

Hij keek haar verwonderd na terwijl ze haar huis weer in verdween. Moest hij thee zetten? Maar zij had toch bezoek?

Hij liep terug naar zijn huis en deed wat Alicia gevraagd had. Terwijl hij in de keuken bezig was, zag hij de auto van Kieny weer voorbijkomen. Ze reed heel langzaam en keek nadrukkelijk bij hem naar binnen. Toen ze hem zag, stak ze haar hand op. Hij zwaaide niet terug, maar keerde zich om. Hij hoorde geluiden en inderdaad, daar was Alicia al. 'Heb je haar meteen weer op straat gezet?' vroeg hij verbaasd.

Alicia lachte. 'Je had gelijk, ze was alleen maar uit op contact met jou en jij was net heel duidelijk: je wilde haar niet. Maar vertel nou, want ik wil het weten al wil ik het helemaal niet weten.'

Loet glimlachte. 'Ga zitten, ik schenk eerst thee in.'

Alicia ging aan tafel zitten en zag hoe haar vader een kastje opende. Er stond bijna niets meer in dat kastje. Drie kopjes, twee bordjes. Had hij de rest al ingepakt? Een koude hand greep haar bij de keel. Hij ging echt weg! Ze zuchtte.

'Meid, wat kijk je somber.'

'Kan alles niet gewoon bij het oude blijven?' vroeg ze met een trillende onderlip.

Loet zette een kopje thee voor haar neer en ging tegenover haar zitten. Hij voelde een diep medelijden met zijn jongste dochter en zonder dat hij er iets tegen kon doen voelde hij ook woede opkomen. Woede tegen Paula, die hun kind zo verwend had. Tegelijk besefte hij dat hij medeschuldig was. Hij was niet voldoende tegen Paula ingegaan en had haar eigenlijk haar gang maar laten gaan. 'Meisje,' verzuchtte hij, 'toen mamma overleed, is er een knop omgezet. Het oude bestaat niet meer en kan niet terugkomen. Al zou ik hier blijven wonen, niets is meer zoals het vroeger was. Begrijp je dat dan niet?'

'Dat weet ik toch wel, maar moet de rest dan ook nog veranderen?'

'En moet ik hier dan alle dagen triest in mijn eentje zitten, de rest van mijn leven? Je wilt niet dat ik een nieuwe vriendin krijg, ik mag niet naar Frankrijk. Ik mag, als het jou uitkomt, opa voor mijn kleinkinderen zijn en hoe vul ik dan de rest van mijn dagen in? Met clubs waar ik geen zin in heb? Met verpieteren achter de geraniums?'

Ze zweeg en keek hem met betraande ogen aan.

'Gisteravond zijn Frans en Leo weer geweest en ze hebben dit huis gekocht.'

'Frans en Leo?' Haar ogen werden groot als schoteltjes.

'Eh, ja, sorry. Ze wilden dat ik ze bij de voornaam noemde. Dat vonden ze prettiger en het zijn heel aardige mensen. Je zult zien dat je er goede buren aan hebt.'

'Maar Frans en Leo? Waar komen die opeens vandaan? Gaan hier twee mannen wonen?'

Toen schoot Loet in de lach. 'Dat gezicht van jou! Prachtig. Maar je hebt gelijk. Erg duidelijk ben ik niet. Nee, het zijn wel die twee dames. Officieel heten ze Francien en Leontien, maar blijkbaar vinden ze dat afschuwelijke namen en hebben ze het allebei afgekort.'

'In Frans en Leo? Vind je dat niet raar?'

'Ja, klopt. Ik keek hen eerst ook stomverbaasd aan, maar het went snel, merk ik. Ze zijn echt heel aardig. Misschien wat anders dan anderen, maar daar houd ik eigenlijk wel van.'

'Wat doet het ertoe of jij daarvan houdt? Ik moet met ze omgaan.'

'Dat is waar, maar ik heb er alle vertrouwen in dat ze dit huis keurig onderhouden en verzorgen en dat vind ik belangrijk. Mamma en ik zijn er altijd zuinig en trots op geweest, ik vind dat het ook een goed onderhouden huis moet blijven.'

'Twee vrouwen met twee linkerhanden.'

'Dat denk ik niet. Ze zijn allebei leraar bouwkunde. Twee potige dames, die goed in staat zijn een hamer vast te houden.'

'En ze hebben het gekocht?'

'Ja, op 31 mei tekenen we de acte.'

'Dan al? Pap, dat meen je niet!'

Loet knikte ernstig.

'Maar dat is al over eh ... drie weken?'

'Precies en zelf ben ik daar heel blij om. De zomer is natuurlijk het mooist om in Frankrijk te wonen en die maak ik dan nog helemaal mee.'

'Maar 31 mei. Dat is echt veel te snel! Dit komt me veel te onverwachts.'

'Dat kan niet, Alicia, je weet het al een hele poos.'

Ze keek nukkig de andere kant op. Haar blik bleef rusten op moeders gebloemde stoel. 'Liselotte zei dat ik iets mocht hebben.'

'Ja.'

'Mag ik dan die stoel?'

'Dat mag,' zei Loet.

'Dat mag?' Ze keek hem kwaad aan. 'Zie je wel dat jij mamma helemaal niet mist! Als je haar echt miste, zou jij die stoel willen houden.'

Loet zuchtte. 'Alles wat ik meeneem zal me aan haar herinneren. Ons bed, deze tafel. Alles hebben we samen gekocht of zij alleen. Alles is haar smaak. Die ene stoel kan ik echt wel missen. Ik neem het bankstel mee, de grote kast. Ik krijg twee mooie kamers in dat huis. Een slaapkamer en een woonkamer. Als al mijn spulletjes erin staan, zullen de kamers helemaal naar mamma ademen. En bovendien neem ik haar mee in mijn hart. Je mag nooit meer zeggen dat ik haar niet mis, want ik mis haar dagelijks. En ook dat is een reden voor mij om weg te gaan. Af en toe word ik gek hier in dit huis, want hier zijn het ook de muren en de plafonds, de tuin, alles doet me hier aan mamma denken. Ik hoop eerlijk gezegd dat ik haar in Frankrijk iets minder mis en weer een beetje vrolijker kan worden. Vanbinnen dus, waar het nu eigenlijk altijd koud en stil is. Ik wilde dat je daar ook eens aan dacht, Alicia. Dat ik ook verdriet en pijn heb en dat ik probeer daarmee te leven en er toch nog iets leuks van wil maken. Jij bent echt niet de enige die haar mist.'

Hun blikken ontmoetten elkaar en Loet zag hoe de opstandigheid in haar ogen verdween en hoe er zachtheid en ook verwondering voor in de plaats kwamen. Het was duidelijk dat ze altijd alleen met zichzelf bezig was geweest en zich nooit echt had afgevraagd hoe hij zich eigenlijk voelde sinds Paula er niet meer was. Hij wist dat ze zo was en had het geaccepteerd, maar hij hoopte toch echt dat ze ooit op een andere manier kon denken.

'Sorry, pap,' zei ze timide. 'Je hebt gelijk. Ik dacht alleen aan mijn eigen gemis.'

Er rolden tranen over haar wangen. Loet stak zijn hand uit en streelde de hare. 'Ik wilde je ook een paar dingen vragen.'

Ze keek hem aan.

'De verhuiswagen komt 31 mei heel vroeg. Ze hebben dan de hele dag om alles in te pakken. 's Middags moet ik dan naar de notaris voor de ondertekening en daarna mag ik het huis niet meer in. Maar de verhuiswagen vertrekt pas op 1 juni. Ik rijd dan in mijn eigen auto met hen mee. Kan ik die laatste nacht bij jullie slapen?'

'Pap, natuurlijk! Wat leuk. Zullen we dan die avond gezellig uit eten gaan met zijn allen?'

Loet glimlachte. 'Prima! Maar eh ... zoals je wel zo'n beetje weet, heb ik bijna alles al ingepakt. Zelfs de bordjes en kopjes al. De komende weken heb ik dus niet veel meer te doen. Ik zou het geweldig vinden als ik jullie kinderen een weekend mee uit mag nemen. Alleen opa en zijn kleinkinderen.'

'Hè? Wat wilde je dan gaan doen?'

'Naar een bungalowpark met veel leuke dingen voor kinderen. Zwembad, speeltuin, crossauto's of hoe dat tegenwoordig allemaal ook heet.'

'Daar is Robbie nog veel te klein voor! Nee, hoor. Dat kan niet. Dat is veel te veel voor je. Je moet ze voortdurend in de gaten houden,' riep ze uit.

'Daarom wilde ik mijn andere kleinkinderen ook meenemen. Sem en Minke zijn veertien en twaalf. Die kunnen me wel een handje helpen bij het oppassen.'

'Wou je met vijf kinderen op stap?'

Loet knikte. 'Van vrijdagmiddag tot zondagavond.'

'En wat vindt Liselotte daarvan?'

'Die heb ik het nog niet gevraagd. Ik wilde het eerst aan jou vragen,' zei Loet.

'Zij zegt toch ja,' vond Alicia. 'Ze is het nooit met me eens.'

'Als je het niet goedvindt, doen we het niet. Zo gemakkelijk is dat. Maar ik dacht dat het voor hen wel leuk was om met opa op stap te gaan.'

'Ik wil het eerst met André bespreken.'

'Prima,' vond Loet. 'Dan wilde ik nog wat vertellen. Ik moet zeggen dat ik dit wel al met Liselotte besproken heb. Ik had het jou ook wel eerder willen zeggen, maar ik had het gevoel dat je het niet wilde horen. Toen Paula overleed, werd een deel van het huis eigenlijk van jullie, maar omdat we een testament op de langstlevende hadden, mocht ik het huis gewoon houden. Nu ga ik het dus verkopen en krijg ik er geld voor. Dat geld stop ik voor het grootste deel meteen in het huis in Frankrijk. Een deel zet ik op de bank om een gastenverblijf mee te bouwen. Misschien denk je nu dat je naar jouw deel kunt fluiten, maar dat is niet zo. Ik heb met de nota...'

'Pap, hou op. Ik wil dit inderdaad niet horen. Het is financieel gezien jouw huis en jouw geld. Jij hebt er je hele leven voor gewerkt. Ik wil geen cent, zeg. Daar heb ik ook geen seconde over gedacht. Oké, een extraatje zou mooi zijn, want soms vind ik wel dat we krap zitten, maar ik wil jouw geld niet zolang je nog leeft. Jij hebt er echt hard genoeg voor gewerkt, dan moet je nu ook doen wat je niet laten kunt.' Ze kwam overeind. 'Ik moet Robbie van school halen. Bedankt voor de thee.'

Hij keek haar na en wist niet goed wat hij moest voelen. Het was fijn dat ze niet op geld zat te wachten, maar de manier waarop ze het gezegd had, maakte hem niet echt vrolijk. En zijn plannetje voor een weekend met de kleinkinderen ging misschien ook niet door. Vanavond meteen maar naar Liselotte bellen, dacht hij. Zij vindt het vast een geweldig idee. Misschien kan ze haar zus wel overhalen.

Hij stond op om de papieren van het stadhuis tevoorschijn te halen. Het werd tijd dat hij de formulieren in ging vullen. Dan kon hij ze morgen inleveren. Naast de formulieren zag hij een stapel verhuiskaarten liggen. Die kon hij nu ook invullen. Hij wist immers de datum! Opnieuw werd hij overvallen door een ongekende opwinding. Het was moeilijk om blij te zijn als Alicia zo lastig deed, maar ze zou eraan wennen, dat kon niet anders. Het moest wel. Hij zocht zijn dure balpen op en ging weer aan tafel zitten.

Naam? Barends. Voornaam? Loet. Geboortedatum? 23 juli 1947. Hij glimlachte. Hij had het echt niet leuk gevonden om zestig te worden. Oud en alleen. Hij had een sombere toekomst voor zich gezien. Natuurlijk had hij zijn kinderen en kleinkinderen, maar in zijn huis zou het altijd leeg zijn. Nooit meer iemand die op hem wachtte om te vragen hoe het geweest was. Nooit meer iemand om tegenaan te kletsen. Misschien, heel misschien zou hij nog iemand kunnen vinden, zoals Kieny bijvoorbeeld. Hij grijnsde. Ja, het was mogelijk om iemand te vinden als je zestig was, maar hij was er niet aan toe. Niet met Kieny, niet met wie dan ook. Hij zou niet weten hoe hij een andere vrouw moest omhelzen. Hij zou alleen maar Paula nog meer missen! Dus zestig en alleen. Een langzame en misschien langdurige dood. Zo had hij het op dat moment gevoeld. Natuurlijk was het toen ook nog niet zo lang geleden dat Paula overleden was en vermoedelijk heel logisch dat hij zich somber voelde, maar toch had hij op dat moment niet geweten hoe hij zijn leven een nieuwe invulling kon geven. En toen ontmoette hij Evert. Niet te bevatten gewoon. Nu stond hij op het punt om aan een compleet nieuw en ander leven te beginnen. Zestig en de hele wereld lag voor hem open. Hij straalde en vulde lachend zijn oude huisadres in. Maar zijn nieuwe wist hij nog niet uit zijn hoofd. Hij stond op om de papieren van het Franse huis op te halen. Die lagen keurig in een tas boven bij alle andere Franse documenten. Hij liep de trap op, zocht het papier met het adres en liep weer naar beneden.

'Opa, opa, kom!' Robbie rende de kamer door op Loet af. Hij greep hem bij de hand en begon te trekken.

'Jongen, wat is er?'

'Kom, opa, we gaan weg.' Hij trok hem mee naar de voordeur.

'Wie gaan er weg?'

'Wij, opa! Naar een zwembad en we krijgen patat. Kom nou mee!'

Loet moest lachen om het enthousiaste snuitje van zijn jongste kleinzoon, al begreep hij niet waar ze naartoe gingen. Hij tilde hem op en wilde met hem naar de achterdeur lopen, maar Robbie begon hevig te protesteren. 'Die kant. We gaan met de auto!'

Opeens drong het tot hem door dat het weleens over zijn eigen voorstel kon gaan, een weekend weg. Had Alicia het dan nu al tegen de kinderen gezegd? Zonder er met André over te praten? 'Ik ga even met je mee naar huis,' zei Loet.

'Nee, nee, niet naar huis,' gilde Robbie en hij worstelde zich vrij. 'Met de auto!'

'Niks ervan, jongeman en gil niet zo. Opa krijgt er zere oren van. We gaan naar je moeder.' Hij greep Robbie stevig bij zijn arm en duwde hem voor zich uit naar de tuin. Bij de achterdeur botste hij tegen Alicia aan.

'Ben je hier, stoute jongen,' riep ze tegen Robbie. 'Je mag toch niet zomaar weglopen. Je moet altijd zeggen waar je heen gaat.'

'Nietes. We gaan naar het zwembad.'

'Maar vandaag toch niet?' zei ze verbaasd, maar ze lachte. 'Hij heeft een half woord opgevangen en het verkeerd begrepen. Sorry, pap.'

'Maar eh ... betekent dit dat je het wel goedvindt dat ik ze meeneem?'

'Ach ja, moet kunnen, dacht ik toen ik thuis was en voor ons is het ook weleens lekker: een heel weekend zonder kinderen.'

'Fantastisch, meid. Wanneer komt het je het beste uit?'

'Volgend weekend.'

'Goed, dan bel ik Liselotte straks en vraag wat zij ervan vindt. Je doet me er een groot plezier mee.'

Alicia greep Robbie beet. 'Kom mee, naar huis.'

De jongen was echter met geen mogelijkheid van zijn plaats te krijgen.

'Ik wil met opa weg.'

Loet zakte door de knieën en keek hem recht in de ogen. 'Robbie, je hebt niet goed geluisterd naar mamma. We gaan wel weg, maar niet nu. Een ander keertje. Maar als je wilt ...' Hij keek Alicia vragend aan en kwam overeind. 'Mag hij hier eten vanavond?' vroeg hij zacht.

'Mij best.'

Hij ging weer op zijn hurken zitten. 'Als je wilt, Robbie, mag je hier vanavond eten.'

'Patat?'

Loet knikte.

'Jippie!' gilde hij zo hard dat Loet geschrokken de handen voor zijn oren sloeg. 'Hou je op met die herrie,' zei hij iets kwader dan hij zich voelde. 'Opa's oren gaan er echt kapot van, weet je.'

'Patat, we krijgen patat.' Hij rende weg en Alicia liep hoofdschuddend achter hem aan.

Loet ging weer aan tafel zitten en vulde het formulier verder in. Daarna pakte hij de verhuiskaarten en zijn adressenboekje en begon de eerste adreswijzigingen te schrijven.

11

'Opa,' vroeg Else met een lief stemmetje. 'Hoe heet je als je straks in Frankrijk woont?'

Loet schoot in de lach. 'Nog steeds opa, hoor.'

'Maar de mensen praten daar toch anders?'

'Ja, ze spreken er Frans.'

'Frans?' Haar ogen werden groot. 'Frans van Leo?' Ze begreep er duidelijk helemaal niets van en Loet kon niet anders dan in de lach schieten om die prachtige verbaasde ogen van haar.

'Maar zij gaan toch juist hier in jouw huis wonen? Ze gaan toch niet mee?'

'Hoe oud ben jij eigenlijk?' bemoeide Sem zich met het gesprek.

'Ik ben acht,' zei Else trots.

'Ja, dat is duidelijk te horen.'

'Leg jij het dan eens uit,' vond Loet.

'Oké,' zei hij en trok een heel wijs gezicht. 'Namen betekenen altijd wat. Neem nou Else. Else zijn bomen. Sem is een Surinaams boontje. Loet van opa is een krabber en Nina ...'

Loets mond viel open. 'Wat vertel je me nou?'

'Ja, heb ik gelijk of heb ik gelijk?' vroeg Sem. 'Else zijn toch bomen.'

'Elzen, bedoel je.'

'Dat zeg ik en Loet is een krabber.'

'Klopt ook. En Sem?'

'Een Surinaams boontje en Nina komt van Ninja, nou, dat is zo'n geheimzinnige vechter en Robbie komt van een robbertje vechten en Frans komt uit Frankrijk.'

'Helemaal niet,' protesteerde Else die het verhaal weliswaar niet volgen kon, maar dat laatste wel wist. 'Frans praat net als wij en opa zegt dat ze in Frankrijk anders praten.'

'Ik bedoel alleen maar,' verzuchtte Sem over zoveel domheid, 'dat zijn naam uit Frankrijk komt.'

'Zijn naam?' Nu moest Else hartelijk lachen. 'Zie je wel dat je er helemaal niets van weet. Het is háár naam. Als het een vrouw is, zeg je haar. Je zegt toch ook niet mamma zijn nieuwe jas?'

Het was duidelijk dat het nu Sem was die het niet meer volgen kon. Hij keek haar verbaasd aan en zweeg. Dat was een zeldzaamheid, want hij wist meestal zijn mond wel te roeren.

'Nog een vraag,' zei Loet lachend, die de verwarring goed begreep. Sem had de nieuwe bewoners van zijn huis nog niet gezien en Else wel. Die had onlangs met de beide dames kennis gemaakt, toen ze langskwamen om de maten voor de gordijnen op te nemen. 'Wat zeggen ze in Frankrijk tegen opa?'

'Ja, gewoon, zoals je heet, natuurlijk.'

'Dus opa?'

'Ja.'

'Nee, jongeman, Else had het goed. In Frankrijk spreken ze anders. Daar zeggen ze *grand-père* tegen opa, maar omdat jullie geen Fransen zijn en ik ook niet, mogen jullie gewoon opa blijven zeggen.'

'Natuurlijk zijn wij geen Fransen,' vond Else. 'En ook geen Leo's.'

'Ik ga zwemmen,' zei Sem. Het gesprek ging hem boven de pet.

Ze zaten buiten in het gras aan de rand van een heerlijk zwembad, waar ze al twee dagen van genoten hadden. Else keek Sem na en zuchtte. 'Echt jammer dat we straks alweer naar huis moeten.'

'Dus je hebt het wel naar je zin gehad?' vroeg Loet.

Ze knikte heel hard van ja.

'Daar ben ik blij om. Ik heb ook genoten van jullie en jullie zijn zo lief geweest. Ik vond het echt heerlijk om met jullie uit te gaan.'

Else lachte, maar haar gezicht betrok toch weer. 'Hoe zit het nou met Frans?'

'In welk land woon jij, weet je dat?'

'Nederland.'

'Ja, en wat praten ze daar?'

Else haalde haar schouders op.

'Nederlands. Wij praten nu Nederlands met elkaar. In Duitsland praten ze Duits. In Engeland praten ze Engels en in ...'

'Engels, dat weet ik!' onderbrak ze haar grootvader opgetogen.

Loet glimlachte. 'Mooi, meisje, maar in Frankrijk praten ze Frans. Toevallig is Frans óók een naam en, Else, eigenlijk is Frans een mannennaam. Daar had Sem wel gelijk in. Het is een beetje vreemd om jezelf Frans te noemen als je een vrouw bent. Maar Frans heet eigenlijk Francien en dat vond ze niet leuk. En Leo is ook een mannennaam, maar die heet eigenlijk Leontien en dat is wel een meisjesnaam.' Loet zag dat ze het allemaal iets te moeilijk vond.

Ze keek hem aandachtig aan.

Hij zag haar hersens werken.

'En waarom ben ik een boom?' vroeg ze ten slotte.

'Meisje, jij bent geen boom, maar er zijn bomen die els heten en twee van die bomen heten elzen. Maar jij heet Else en dat is lekker anders. Toe, ga ook nog maar even zwemmen. Nu kan het nog. En vergeet al die moeilijke dingen maar. Daar heb je de rest van je leven nog voor.'

Hij keek haar glimlachend na, gleed met zijn ogen over het terrein en zag hoe Minke en Nina samen met Robbie speelden. Ja, dat was een leuke bijkomstigheid van dit uitstapje. De neefjes en nichtjes leerden elkaar ook wat beter kennen en dat verliep echt heel goed. Robbie probeerde het af en toe wel uit te spelen dat hij de jongste was en hoopte op die manier zijn zin door te drijven, maar Sem en Minke lieten niet met zich sollen en gaven hem zijn zin niet als hij iets wilde wat niet kon. Else had gelijk: het was jammer dat ze zo weer naar huis moesten. Nog een halfuurtje spelen en dan moesten ze alweer aankleden, spullen in de auto zetten, nog een keer patat eten en dan was de pret afgelopen. Een halfuur rijden en ze waren weer in Eindhoven. Maar hij had veel plezier gehad en hij zou ongetwijfeld nog vaak aan dit weekend terugdenken. Hij hoopte dat zijn kleinkinderen dat ook zouden doen als hij hier niet meer woonde.

'Zijn jullie er weer?' riepen Alicia en Liselotte in koor, terwijl ze tegelijk de voordeur uit kwamen rennen. 'Hoe is het gegaan?'
'Ik blijf bij opa,' riep Robbie boven iedereen uit.
'Tof,' zei Sem. Liselotte keek hem verrast aan. Van tevoren had hij niet echt zin gehad om met zijn opa op stap te gaan, maar dit was het mooiste compliment dat haar puberende zoon hem kon geven. Ze aaide hem vluchtig over zijn bol, wetend dat hij dat niet meer op prijs stelde, maar het moest maar even. Ze had hem twee dagen en nachten niet gezien.
Minke wilde meteen met Else en Nina naar boven verdwijnen, maar daar stak Liselotte een stokje voor. 'Minke, we gaan direct weg. We moeten nog een heel eind rijden en het is nu al laat.'
Minkes gezicht betrok, maar ze begreep dat protesteren niet hielp. Dus liep ze op haar grootvader af, ging op haar tenen staan en sloeg haar armen om hem heen. 'Bedankt, opa. Het was echt gaaf!'
'Jij ook bedankt, meisje, dat je erbij was en me zo flink geholpen hebt.'
'Poeh, ik heb niks gedaan.'
'Je hebt prachtige foto's gemaakt met die digitale camera. Daar begreep ik niets van.' Hij lachte. 'Opa is ouder dan hij dacht.' Hij knipoogde naar haar, zocht Sem op en sloeg hem op de schouder. Die bromde wat om al dat aanhankelijke gedoe, maar toen hij dacht dat niemand het zag gaf hij zijn opa een low five.
'*Merci, grand-père.*'

Loet straalde. 'Dat klinkt echt geweldig leuk, jongen. *Grand-père*. Ik hoop dat je me snel komt opzoeken en dat geldt natuurlijk voor iedereen. Hoe eerder hoe liever. Jullie zijn van harte welkom.'

Liselotte knipoogde haar vader toe. Zij hadden al een afspraak. De eerste weken van de schoolvakantie zouden ze naar Frankrijk gaan met de caravan en dan zouden ze natuurlijk ook een hele poos bij hem in de tuin camperen.

Ze zwaaiden Liselotte, Sem en Minke uit. Alicia vroeg haar vader mee naar binnen, maar die zei dat het bedtijd voor hem was. 'Het was geweldig, maar wel vermoeiend. Dag kinderen, slaap lekker.'

'Ik ga bij opa slapen!' riep Robbie en rende vast naar zijn voordeur.

'Nee, jongeman, je moet nu weer naar je eigen bed!'

'Nee, hoor, ik blijf bij jou.'

'Robbie!' Alicia verhief haar stem, maar hij deed net alsof hij niets hoorde en hield opa vast aan zijn ene broekspijp.

Loet stond in tweestrijd. Het hele weekend had de jongen naar hem geluisterd, maar moest hij nu ook wat zeggen of moest hij het aan Alicia overlaten?

Gelukkig nam zij die beslissing voor hem. Ze pakte hem beet en keek hem streng aan. 'Robbie, we hadden afgesproken dat je zou luisteren, dus je gaat mee naar huis.'

'Nee!'

'Opa is moe en ik heb je twee dagen niet gezien. Ik heb je gemist. Kom. Ik wil je naar bed brengen en dan nog even gezellig met je praten over hoe het was met opa.'

'Nee.'

Loet voelde bewondering voor zijn dochter. Ze deed zo haar best de jongen goed op te voeden en consequent te blijven. Daarom voelde hij ook medelijden met haar, dat Robbie zo dwars was en het haar zo moeilijk maakte waar hij bij stond.

'Ook goed,' zei Alicia, 'dan ga je maar niet mee. Maar dan wil ik ook niets meer horen over wat jullie allemaal gedaan hebben. Helemaal niets!' Ze draaide zich om en riep Else en Nina die met de buren stonden te praten en enthousiaste verhalen leken op te hangen. 'Kom, meiden, praten we thuis even gezellig verder. Nog een glaasje drinken en dan naar bed.'

Else en Nina gingen gehoorzaam naar binnen, maar juist toen Alicia de deur wilde sluiten, rende Robbie ernaartoe. 'Ik wil ook drinken! Ik heb dorst.'

Loet schudde lachend zijn hoofd. Alicia had toch gewonnen.

Toen de kinderen in bed lagen kroop Alicia dicht tegen André aan die op de bank zat. 'Poeh', verzuchtte ze, 'wat kan Robbie dwars zijn en dan gaat pap ook nog bijna weg.'

'Het zit je niet mee,' zei hij glimlachend, terwijl hij zijn armen om haar heen sloeg.

'Nee, precies, maar ...' Ze kuste hem en even zeiden ze niets. 'We hadden een heerlijk weekend. Het was best lekker weer eens helemaal alleen met ons tweeën te zijn.'

'Dat klopt,' zei hij met een warme blik in zijn ogen en trok haar dichter tegen zich aan. 'We moeten dat binnenkort nog maar eens doen. Misschien willen mijn ouders de kinderen ook wel een keer een heel weekend hebben.'

'Hm.' Ze vlijde haar hoofd op zijn schouder en zuchtte.

'Wat?'

'Ik ben zo verdrietig omdat pap weggaat en dan moet ik ook nog zo streng tegen Robbie doen. Soms denk ik: waar ben ik mee bezig? Waarom telkens dat gemopper?'

'Waarom doe je het dan?'

'Omdat het beter voor hem is!' Ze maakte zich los uit zijn armen en keek hem aan. 'Toch?'

André haalde onverschillig zijn schouders op. 'Waarom is het beter? Je hebt gelijk. Al dat geschreeuw en gejank van hem om zijn zin te krijgen. Dat is ongezellig. Dus waarom doe je het?'

'Nou ja, zeg,' zei ze verontwaardigd. 'Dat hadden we toch besproken? Als hij altijd zijn gang mag gaan wordt ie een vervelend verwend joch en zal niemand hem leuk vinden.'

'Nou, dat laatste lijkt me overdreven, maar verwend wel.'

'Precies en dat is toch niet goed? Je ziet het aan mij. Ik kan niet zonder mamma en nu mamma er niet meer is, kan ik niet zonder pap. Je wordt er niet groot van als je altijd alles maar mag, zoals ik mocht.'

André schudde verrast zijn hoofd. 'Je hebt het door,' zei hij. 'Daarom moet je volhouden met Robbie, maar weet je wat? Ik zou bijvoorbeeld minder kunnen gaan werken, zodat ik een dag op hem kan passen. Dan kun jij even ademhalen.'

'En waar moeten we dan van leven of moet ik dan meer gaan werken? Daar had ik eigenlijk toch geen zin in.'

'Oké, dan houden we het zoals het is, maar je mag nooit vergeten dat ik achter je sta en je steun en als je niet meer weet wat je moet doen, moet je het echt tegen me zeggen. Je staat er niet alleen voor, hoor!'

Op 31 mei moest Alicia eigenlijk 's middag werken, maar ze had vrij genomen. Ze wist dat ze toch niet kon werken, terwijl bij haar vader de verhuizers bezig waren. Meteen 's morgens was ze al naar hem toe gegaan om te kijken hoe het ging en ze was zoveel mogelijk bij hem geweest. Het was erg moeilijk geweest omdat het ene na het andere meubelstuk het huis uitgedragen werd. Stukje bij beetje zag ze haar ouderlijke huis afbrokkelen.

's Middags tegen drieën waren ze tegelijk weggegaan. Hij naar de notaris en Alicia om de kinderen van school te halen.

Tegen vier uur zag ze hem weer thuis komen. Ze liep meteen naar buiten. 'En?' vroeg ze. 'Heb je getekend?'

'Ja, meisje, het is gebeurd. Dit huis is niet meer van mij.'

De tranen schoten haar in de ogen. 'Mag ik nog een keer ...' vroeg ze aarzelend. 'Nog één keer erdoorheen lopen?'

'Nog één keer dan.' Hij glimlachte en samen liepen ze op de voordeur af. Hij stak de sleutel in het slot en liet haar voorgaan. Het huis was helemaal leeg en zo kaal dat het nergens meer aan haar moeder deed denken. Ze snikte. 'Mamma ...' IJverig wreef ze haar ogen droog, maar het hielp niet. De tranen bleven komen. Nog eenmaal naar de zolder, nog eenmaal naar haar eigen kinderkamer, de slaapkamer van haar ouders waar ze als klein meisje vaak in het grote bed was gekropen als ze bang was in het donker of bij onweer. Nog eenmaal naar de badkamer, waar haar moeder altijd haar lange haren had geborsteld en zij op de kruk mocht staan om in de spiegel te kijken. Nog eenmaal naar de huiskamer waar ze zo veel heerlijke dagen hadden doorgebracht. Nog eenmaal naar de keuken, waar haar moeder koekjes met haar gebakken had, die ze al opgegeten had voordat haar vader thuis was.

Ze zuchtte diep. 'Oké,' zei ze. 'We gaan naar mijn huis.'

'Goed.' Loets stem klonk schor. Hij had ook moeite met dit afscheid. Hij verheugde zich ongelooflijk op Frankrijk, maar dit was voor hem ook een afscheid dat niet gemakkelijk viel. Een afscheid van een leven samen met zijn vrouw, de vrouw van wie hij zo veel gehouden had. 'Dag huis,' mompelde hij terwijl hij naar buiten liep.

Daar zag hij hoe de nieuwe bewoners aangekomen waren en nu op Alicia toe liepen.

'Ha, jij bent de buurvrouw, niet?' zei een van hen. 'Althans, ik zag je laatst hier in de straat. Ik ben Frans en dit is Leo. In welk huis woo... Sorry, storen we?' Nu pas zag ze de tranen in Alicia's ogen.

'We hebben nog even afscheid genomen van het huis,' zei Loet verklarend, maar Frans begreep het niet. 'Hoezo? Het huis blijft toch gewoon staan?'

Loet glimlachte. Hij wilde het op dit moment niet uitleggen. Hij stak haar de sleutel toe. 'Alsjeblieft. Ik wens jullie hier veel geluk. Ik ben hier ook gelukkig geweest. Zorg goed voor het huis.'

'Waar gaat u dan nu naartoe?'

'Ik slaap vannacht bij haar en morgen vertrek ik naar Frankrijk.'

'Geweldig. Ik hoop dat wij net zo'n goede band krijgen, buurvrouw!' riep Leo enthousiast. 'Heerlijk als je zo met je buren overweg kunt dat je er zelfs mag slapen.'

'Jullie weten er niets van,' snauwde Alicia, terwijl ze opnieuw ging huilen. 'Dit is mijn ouderlijk huis en hij is mijn vader!'

Hoewel ze een heel fijne avond hadden, hing het afscheid toch als een dichte wolk om hen heen. Loet trakteerde op eten van de Chinees. Else en Nina waren uitgelaten blij. Ze vroegen ook voortdurend wanneer ze mochten komen kijken. Robbie begreep er weinig van, behalve dan dat opa op een heel lange vakantie zou gaan, maar Alicia had grote moeite zich goed te houden.

De volgende morgen stonden ze vroeg op. Loet zou vertrekken nog voor de kinderen naar school moesten. Snel hielp Alicia hen met aankleden. Ze wilde keurig met haar hele gezin op de stoep voor het huis staan om hun opa uit te zwaaien. Maar ze had moeite om zichzelf aan te kleden. Haar ogen wilden niet droog worden.

Precies om halfacht werd er hard geclaxonneerd en reed de verhuiswagen weer voor. Loet rende naar de deur, stak groetend zijn hand op en liep het huis weer in. 'Het is zover.' Zijn stem klonk schor. Hij wilde zo graag vertrekken, maar het afscheid viel hem zwaarder dan hij had verwacht.

Hij sloeg zijn armen om de meisjes, gaf ze een dikke pakkerd, tilde Robbie hoog op en aaide hem door zijn krullen, sloeg even zijn armen om André en sloeg hem op de rug, daarna was Alicia aan de beurt. 'Meisje, lieverd, ik bel zodra ik daar ben aangekomen. Vanavond dus en je komt gauw, hoor. Hou je taai. Als er wat is, bel je me. Je hebt het nummer. Maar ik weet dat je het kunt. Je bent een flinke, sterke vrouw.'

'Papa,' zei Alicia, terwijl ze zich aan hem vastklampte. 'Pap ...'

'Kom je gauw?'

'Ik weet het nog niet. De reis is zo lang en de kinderen ...'

'We komen zo gauw we kunnen,' zei André.

'Tot ziens dus.' Loet liep naar buiten, moest even zijn ogen drogen met zijn ongestreken zakdoek en stapte toen in zijn auto die nog voor zijn eigen huis stond, wat zijn huis niet meer was. Hij keek nog even, maar zag dat het ook zijn thuis niet meer was. Er hingen vreemde gordijnen en er zat een kat op de vensterbank. Hij slikte. 'Dag Paula,' zei hij in stilte. 'Ik neem je mee naar Frankrijk.' Hij startte de motor, keek naar Alicia die openlijk stond te huilen, draaide het raampje open en stak zijn hand erdoor. 'Ik bel!' riep hij. 'Meteen als ik er ben. Tot vanavond!'

Ze zwaaiden allemaal tot de personenauto en de vrachtauto niet meer te zien waren, maar Alicia was niet meer in staat zich om te draaien en naar binnen te gaan. Het leek alsof haar benen elke dienst weigerden.

'Kom,' zei André en sloeg zijn arm om haar heen. Zacht duwde hij haar naar binnen. 'Je moet nog wat eten voor je de kinderen naar school brengt.'

'Eten?'

'Ja, meisje, ons leven gaat gewoon door. Het klinkt raar, maar het is zo. Wil je kaas of jam op je boterham?'

12

Vol trots en goedkeurend bekeek Loet de houten buitentafel die hij net geschilderd had. Voor iemand met een kantoorachtergrond had hij een geweldige prestatie geleverd, vond hij zelf.

Hij woonde nu een maand in Frankrijk en hij en Evert hadden zich nog geen dag verveeld. Uiteraard genoten ze dagelijks van het heerlijke weer. Elke ochtend ging een van hen naar het dorp om vers brood te halen voor het ontbijt. Loet vond het nog steeds een traktatie om 's morgens vroeg vers stokbrood of een knapperige croissant te eten. Buiten, in de zon, op het terras dat Evert aangelegd had aan de rand van hun tuin met uitzicht op de Atlantische Oceaan. Een kopje versgezette koffie erbij en een stukje brie. Mooier kon je het niet krijgen.

En overdag struinden ze soms de vlooienmarkten in de omgeving af. Het huis waarin ze woonden was erg groot en ze hielden allebei niet van lege kamers. De meubels van Loet hadden meer dan ruimschoots gepast in de twee kamers die hem toebedeeld waren. Zijn eigen woonkamer en zijn slaapkamer. Maar ze hadden ook een gezamenlijke woonkamer en een eetkeuken en daarnaast nog vier logeerkamers. Oorspronkelijk waren die bedoeld om te verhuren en eventueel kon dat altijd nog, maar op dit moment vonden ze toch een gastenverblijf in de tuin aantrekkelijker. Eerst maar eens wennen aan onbekende gasten op een afstandje. Hoe dan ook, ze hadden veel meubels nodig en veel bedden. Die kochten ze tweedehands en knapten ze samen op. Loet was het nooit gewend geweest zijn handen op die manier te gebruiken, maar het bleek dat hij meer kon dan hij ooit gedacht had en hij kreeg er steeds meer plezier in om oude meubels op te knappen.

In het dorp waar ze vlakbij woonden, waren ze al snel opgevallen. Twee mannen die samenwoonden waren ze daar ook niet zo gewend en Loet en Evert voelden meer dan ze wisten dat ze het onderwerp van gesprek waren. Toch had een van de mannen in het dorp hen benaderd en gevraagd of ze lid wilden worden van hun jeu-de-boulesclub. Ze hadden te weinig mannen om nog een leuke competitie te houden. Evert en Loet hadden dit spel nog nooit gespeeld, maar dat ze ervoor gevraagd werden, vonden ze zo leuk dat ze zich wel verplicht voelden mee te doen. Tenslotte wilden ze er graag bijhoren. Ze waren immers van plan de rest van hun leven hier te slijten. Dat ze beiden Frans spraken werd duidelijk erg op prijs gesteld en tot Loets grote verrassing vond hij het spel geweldig. Erg sportief was hij nooit geweest, maar samen met een aantal kerels, want het waren uitsluitend mannen die lid waren, in de buitenlucht een balletje gooien werd een heel aangenaam vertier voor hem en Evert. Ze moesten wel toegeven dat ze de jongsten van het stel waren, maar dat mocht de pret niet drukken. Vaak dronken ze na die tijd met zijn allen nog een glas goede rode wijn in een kroeg of op een terras en Loet kreeg steeds meer het gevoel dat ze er al echt bij begonnen te horen.

De fundering voor het gastenverblijf was ook gelegd. Nee, dat bouwden ze niet zelf. Dat zagen ze allebei niet zitten. Het moest natuurlijk wel een stevig huis worden, want 's winters kon het hier aardig waaien. Dus hadden ze een kleine aannemer uit de buurt in de arm genomen die erg blij was met de opdracht, want zo veel werk had hij tegenwoordig niet meer. Als het een beetje meezat was het nog voor de herfst klaar. Er zouden een elektrische kachel en een houtkachel in komen, zodat het er ook in de herfst en misschien zelfs wel in de winter prettig verblijven was. Evert had het al op internet willen zetten om te huur aan te bieden, maar dat vond Loet echt te snel. Eerst moest het huis klaar zijn, vond hij. Er kon nog van alles tussenkomen, zodat het niet voor de herfst af was.

Gisteren waren ze begonnen met het metselen van de muren en

je zag het huis uit de grond omhoogkomen. Rond twaalf uur was een van de vrouwen van de metselaars langsgekomen met verse broodjes en koffie. Juist op het moment dat Evert en Loet de tafel gedekt hadden met brood en soep. Dat was wel grappig geweest. De vrouw had zich behoorlijk geschaamd en iets gemompeld als dat ze niet verwacht had dat twee mannen zelf wel voor eten konden zorgen. Daar was een vrouwenhand voor nodig. Loet had uitgelegd dat zijn vrouw hem dat geleerd had en dat hij ook best een warme maaltijd kon bereiden. 'Vrouw?' had ze verward gevraagd. En Loet moest inwendig enorm lachen. Eindelijk zouden ze dus achter de waarheid komen. Iets wat ze al vanaf de eerste dag wilden weten, maar niet hadden durven vragen. 'Ja, ik ben getrouwd geweest. Ik ben weduwnaar.' Hij zag dat ze zich nu nog meer schaamde, omdat ze al die tijd maar gewoon gedacht had dat ze beiden homo waren. 'En weet u,' had hij vrolijk toegevoegd, alsof hij niet zag wat ze dacht, 'volgende week komt mijn oudste dochter hier op bezoek met haar gezin. Ik heb vijf kleinkinderen.'

'Hij is mooi geworden, Loet!' Evert onderbrak hem in zijn gedachten.

'Vind ik zelf eigenlijk ook wel! Ik had niet gedacht dat ik dit soort dingen kon.'

'Mijn vader zei altijd: waar een wil is, is een weg.'

'En die van mij zei: kan-niet ligt op het kerkhof en wil-niet ligt ernaast.'

Ze schoten samen in de lach. 'Wijze vaders hadden wij. Zeg,' ging Evert verder, 'je krijgt vanmiddag bezoek.'

'Hoezo?' Loet keek hem verwonderd aan. Wie kon hem hier nou bezoeken? Hij kende alleen de mannen van de jeu-de-boulesclub en de werklui. Maar die zouden heus niet op bezoek komen.

Evert grinnikte om het verwonderde gezicht van Loet. 'Je telefoon ging zojuist, maar ik had geen zin om hard te rennen en het ding naar jou toe te brengen, dus nam ik op. Misschien niet netjes, maar ik dacht dat het een van je kinderen zou zijn, maar dat was niet zo.'

Dat kan wel kloppen, dacht Loet. Hij had het nummer van zijn mobiele telefoon immers op alle adreswijzigingen gezet.

'Het was een vriendin van je en ze is hier in de buurt. Ze vroeg of het uitkwam dat ze hier rond twee uur was. Ik heb haar precies beschreven hoe ze moet rijden, dus dat moet wel lukken.'

'En vriendin van mij?' Loet fronste zijn wenkbrauwen. 'Daar heb ik er niet veel van. Wie bedoel je?'

'Ja, dat is een beetje pijnlijk. Ik weet niet hoe ze heet. Ik nam op en zei: "Met het huis van Loet Barends," en toen riep ze vrolijk: "Met mij!" en ze vroeg of ze om twee uur langs mocht komen. Ik zei dat ik jou niet was, maar dat je de hele middag thuis was, dus dat ze van harte welkom was. Dat is toch wel zo?'

'In principe wel, ja, maar ik weet echt niet wie je bedoelt. Wie zegt er nu "Met mij." Alsof ik dan zou weten wie ze is.'

'Ja, daarom dacht ik ook dat het een goede vriendin van je was.'

'Die heb ik eigenlijk helemaal niet. Alleen wat kennissen en nog een paar oud-collega's met wie ik af en toe wat contact heb.'

'Nou, dat wordt dan spannend, man.' Evert lachte hartelijk. 'Zal ik even naar het dorp rijden om iets lekkers voor bij de koffie te halen? Dan kun jij nog even doorgaan met schilderen. Die stoelen moeten immers ook nog.'

'We hebben toch nog genoeg koeken in huis?'

'Tuurlijk, maar iemand die helemaal uit Nederland komt reizen, heeft wel iets beters verdiend.'

'Hm.'

'Wat is er?' vroeg Evert opgewekt. 'Het is toch leuk als iemand de moeite wil nemen langs te komen.'

'Dat wel, als ik maar wist wie het was.'

'Sorry, hoor. De volgende keer zal ik naar de naam vragen.'

Loet knikte en pakte een van de stoelen die nog geschilderd moesten worden. Hij had ze graag klaar voordat Liselotte en haar gezin kwamen, maar opeens schoot hem iets te binnen. 'Evert, heb jij verstand van mobiele telefoons?'

'Best wel.'

'Kun jij dan niet zien wie er gebeld heeft? Er komt altijd een naam in beeld, toch?'

'Alleen als je die naam zelf hebt ingetoetst.'

'Hoe bedoel je?'

'Je moet zelf een naam aan een nummer hangen.'

'Dat snap ik niet,' zei Loet. 'Dat heb ik nog nooit gedaan, maar als Alicia belt, zie ik altijd haar naam in beeld.'

'Dat zal ze dan zelf wel gedaan hebben. Je kreeg het toestel immers van haar. Maar ik kan wel voor je kijken met welk nummer er gebeld is. Ben je zo nieuwsgierig?'

'Eerder verwonderd. Ik ken niemand die me zonder haar naam te noemen zou bellen.'

'Oké, zoek ik het nummer even voor je op.'

Loet veegde zijn handen af aan een oude doek en liep achter Evert aan, die hem al snel het telefoonnummer liet zien. Hij schreef het op een papiertje en liep ermee naar zijn slaapkamer, waar hij zijn adressenboekje had liggen. Maar hoe hij ook bladerde en keek, hij vond niemand met dat telefoonnummer. Nou ja, dan maar rustig afwachten tot het twee uur was. Hij kon natuurlijk ook het nummer terugbellen, maar dat vond hij ongastvrij staan. Alsof hij eerst wilde weten wie ze was voordat ze welkom zou zijn en Evert had gelijk – iemand die dat hele eind kwam rijden was vanzelfsprekend welkom.

Hij liep de tuin weer in en werd opnieuw verrast door de warmte van de zon. Ze boften met het huis, waar het zelden echt warm in werd. Dat was 's winters misschien niet zo prettig, maar nu was het heerlijk. Zodra het buiten te heet werd, kon je binnen heerlijk verkoeling zoeken. Hij opende de verfpot weer, doopte de kwast er in en begon de stoel, die hij een paar dagen eerder al keurig geschuurd had te schilderen. Hij zag hoe het oude hout verdween onder de witte verflaag en veranderde van een afgedankt meubelstuk in een stoel waarin je aangenaam buiten kon zitten.

Onder het schilderen liet hij zijn gedachten de vrije loop en die gingen, zoals bijna altijd, naar Alicia. Hij vroeg zich af hoe het met haar ging. Ze had nu al een paar dagen niet gebeld en op zich was dat heel goed, aan de andere kant maakte hij zich er zorgen om. De eerste dagen had ze bijna dagelijks gebeld, maar toen bleek dat hij het echt naar zijn zin had in Frankrijk, stopte ze daarmee en belde ze nog maar om de dag of om de twee dagen. Hij kreeg de indruk dat ze gehoopt had dat hij al snel met hangende pootjes thuis zou komen, maar dat had ze echt mis. Hij wilde erg graag weten hoe het met haar ging, maar ze hield zich telkens op de vlakte als hij ernaar vroeg. Plannen om te komen had ze beslist niet. Ze bleef erbij dat het voor de kinderen te ver rijden was en ze zouden die zomer in Drenthe gaan kamperen. Dat was tenminste te doen, had ze vrij fel gezegd. Gelukkig kwam Liselotte dus wel, maar ja, die dacht, zoals Alicia al had gezegd, overal anders over.

Heel in de verte zag hij opeens een auto over de kronkelige weg rijden. Geschrokken keek hij op zijn horloge, maar het was nog maar een uur, dus dat kon zijn gast niet zijn. Hij doopte opnieuw de kwast in de pot en begon aan de vierde stoelpoot. De poten waren het gemakkelijkste. De zitting werd een stuk lastiger, want die moest er mooi glad op komen, egaal. Vol concentratie begon hij daar uiteindelijk aan. Gelukkig had hij bij het schuren voldoende geduld getoond, zodat het hout glad en vlak geworden was. Langzaam streek hij de verfkwast heen en weer, genietend van de zachte wind en de warme zon en vooral van zijn creativiteit.

Hij hoorde dan ook niet dat de auto die hij zojuist gezien had, stilhield voor het hek van hun erf. Hij hoorde ook het hek niet opengaan, omdat hij dat onlangs zelf geolied had. Ook hoorde hij de bel niet door het huis rinkelen. Hij keek alleen maar naar de verf.

'Loet! Kun je ook al schilderen? Dat had ik nooit van je gedacht. Wat een veelzijdige man ben jij toch!'

Zijn hart vergat een tel te slaan van de schrik, omdat er zo onverwachts iemand naast hem stond en toen hij begreep wie het was, stond z'n hart nog een tel stil. Wat moest dat mens hier? Wie had haar binnengelaten en trouwens, hoe was ze aan zijn adres gekomen? Hij keek op. 'Kieny,' zei hij afgemeten.

'Nou, nou, lieverd, een beetje meer enthousiasme mag ook wel. Ik heb er een knap stuk voor moeten rijden. Maar je woont hier prachtig. Echt ongelooflijk prachtig. Is dat de Atlantische Oceaan daarginds? Kun je die hiervandaan werkelijk zien? O, je moet me zo even rondleiden, hoor. Ik wil alles zien. Wat een schitterend plekje heb je gevonden.'

Hij zei niets. Hij wist gewoon niet wat hij tegen zoveel stupiditeit in moest brengen.

'Maar eerst kan ik misschien een kopje thee krijgen?' vroeg ze opgewekt. 'Ik ben wel wat uitgedroogd door die lange reis. Heb je ook een stoel die niet nat is van de verf?'

Hij veegde zwijgend zijn handen af aan de oude doek. Hoe kreeg hij haar met goed fatsoen weer het erf af?

'Je kijkt alsof je een spook ziet, Loet. Had je vriend je dan niet verteld dat ik zou komen?'

'Was jij dat aan de telefoon?' Eindelijk begreep hij het. Ja, van Kieny kon hij wel verwachten dat ze alleen "Met mij" zei. En dat hij haar nummer niet in zijn adressenboekje had kunnen vinden, kon ook wel kloppen.

'Ja, heeft hij dat niet gezegd?'

'Hij had je naam niet meegekregen, dus ik wist het niet, maar Kieny, je weet hoe ik over je denk. Je kunt een glas fris bronwater uit eigen tuin krijgen en daarna vertrek je weer.'

'Vertrekken? Echt niet.' Ze lachte met zo'n hoog geluid dat Loet wist dat hij er nachtmerries van zou krijgen als hij het vaker horen zou.

'Dat kun je me niet aandoen. Weet je wel hoeveel kilometer het was? Loet, ik blijf hier minstens een nacht slapen, hoor. Alicia vertelde dat je vier logeerkamers hebt. Ik hoop dat er een bij is met uitzicht op de oceaan, dan neem ik die.'

'Zeg, je bent toch niet van Indische afkomst?' vroeg hij.

Ze keek hem bevreemd aan. 'Nee, dat kun je toch wel zien?'

Hij had haar aandacht! 'Waarom doe je dan alsof je Oost-Indisch doof bent?'

Kieny was even met stomheid geslagen en dat was een nieuwtje dat bijna wel in de krant kon, dacht Loet. 'Een glas water buiten opdrinken en dan weg,' zei hij bits. Hij beende naar de pomp, die Evert meteen het eerste jaar al had aangesloten. Op een tafeltje stond een glazen kan met wat glazen. Hij pompte en liet het water even stromen voor hij de kan vulde. Daarna schonk hij een glas vol en reikte het haar aan.

'Moet ik het daarmee doen?'

'Frisser en gezonder kun je het niet krijgen.'

'Hé, je bezoek is er al. Gezellig. Ik ben Evert.' Joviaal stak hij zijn hand naar haar uit. 'Waarom gaan we niet op het terras zitten. Of wil je mij er niet bij hebben?' vroeg hij met een blik op Loet.

'Jou wel, maar haar niet. Ze gaat nu weer weg.'

'Maar ze is er net.'

Kieny zag haar kans schoon en liep stralend op Evert af. 'Ik ben Kieny.' Ze pakte zijn hand beet. 'En waar is dat terras?'

Op dat moment kon Loet zich niet meer beheersen. Hij stapte op haar af, nam haar het glas uit handen, greep haar bij haar elleboog en duwde haar naar het hek. 'Ik wil je niet meer zien, dringt dat nu eindelijk eens tot je door?'

'Maar Loet, je hebt helemaal geen vriendin. Alicia zei dat je hier met een vriend in een huis getrokken was. Niet met een vrouw. En een vrouw heb je nodig!'

'Misschien, maar dan jou niet. Ik mag je niet. Ik hoop dat je dat nu eindelijk begrijpt.'

'Maar je kunt me toch niet zomaar wegsturen? Ik bedoel: waar moet ik dan slapen?'

'Dat zoek je zelf maar uit.' Hij duwde haar door het hek tot aan haar auto, liet haar los en liep weer terug, deed het hek zorgvuldig dicht en liep weg zonder om te kijken. Maar eenmaal binnen in het huis gluurde hij vanachter een gordijn om te zien of ze echt wel vertrok. Evert kwam hem achterna en zag hoe Loet half achter het gordijn stond. 'Wat doe jij nou? Krijg je eens een leuke vrouw op bezoek ...'

'Leuke vrouw? Ik mag haar niet en het ergste is dat ik dat al twintig keer gezegd heb.'

'Ik vond haar anders best leuk.'

'Evert, ze ziet er prima uit, maar ze is niet leuk, neem dat nou maar van mij aan.' Hij liet een hoorbare zucht ontsnappen, maar het was er een van opluchting omdat hij zag dat haar auto inderdaad keerde en daarna de weg afreed. Zonder nog iets te zeggen liep hij naar de keuken waar zijn mobiele telefoon op de tafel lag. Hij zag niet dat Evert hem hoofdschuddend nakeek, maar Evert had hier niets mee te maken. Dit waren zijn zaken en die handelde hij zelf af. Hij zocht het telefoonnummer van Alicia op en maakte contact.

'Pap, wat leuk dat je belt of is er wat?'

'Nee, nee, maak je geen zorgen om mij, maar ik wilde wel iets vragen. Heb jij onlangs nog met Kieny gepraat?'

'Ja, ze belde op en vroeg naar je adres.'

'En dat heb je gegeven?'

'Tuurlijk. Waarom niet?'

'Omdat ik haar niet leuk vind en dat weet je. Ze stond hier net voor de deur en wilde hier blijven logeren.'

'Ze zei dat ze je een vakantiekaart wilde sturen, omdat ze zelf op vakantie ging,' verdedigde Alicia zich, terwijl ze zich schaamde omdat ze ooit geprobeerd had om Kieny voor haar karretje te spannen.

'Als ze weer contact met je zoekt, zeg je maar dat je geen zin in haar hebt.'

'Dat is onbeleefd.'

'Kan wel zijn, Alicia, maar ik hoef toch niet tegen mijn zin in een vrouw in huis te nemen.'

'Nee, natuurlijk niet pap, natuurlijk niet. Maar waar is ze nu dan?'

'Geen idee, ik heb haar weggestuurd.'

'Is dat niet zielig?' vroeg Alicia.

'Nee, het is zielig dat ze helemaal hierheen is komen rijden terwijl ze weet dat ik haar niet mag.'

'Ik wist niet dat je zo hard kon zijn.'

'Alicia, dat heeft niets met hard-zijn te maken. Ik ben consequent en zoals je weet is dat de beste methode. Als ik haar hier toch had laten overnachten, zou ik haar nooit het huis meer uitgekregen hebben. Ik bel alleen maar om je dat te zeggen. Ga niet met haar zitten smoezen over hoe ze me toch versieren kan. Ik wil haar niet.'

Alicia was even stil. Zo fel kende ze haar vader niet. Aan de ene kant vond ze het geweldig dat hij geen nieuwe vriendin wilde, maar aan de andere kant had ze toch medelijden met Kieny, die dat hele eind ervoor over had gehad. 'Waar moet ze dan slapen?'

Loet kreeg spijt dat hij gebeld had. 'Vrouwen,' mompelde hij. 'Altijd twee handen op een buik. Eerst wil je niet dat ik een nieuwe vriendin krijg en nou mag ik haar niet het huis uitjagen.'

'Sorry, pap, maar ze is ook niet meer een van de jongsten en als ze dan dat hele eind gereden heeft ...'

'Daar heb ik niet om gevraagd. Nou, ander onderwerp: hoe is het met jou?' Hij voelde dat hij nog steeds te fel klonk en dat had Alicia niet verdiend. Hij probeerde zijn boosheid te onderdrukken en weer kalm te worden. Zo geluidloos mogelijk haalde hij heel diep adem en liet hij langzaam de adem weer ontsnappen. 'Hebben de kinderen al vakantie?' vroeg hij.

'Volgende week, toch, pap.'

'Dat is waar ook en dan gaan jullie meteen naar Drenthe?'

'Nee, eerst twee weken thuis en dan twee weken weg. Dat had ik al verteld.'

Stom, hij moest zich beter op dit gesprek concentreren. Alicia zou zich nog zorgen om hem maken als hij zo vergeetachtig leek. 'Sorry, ja, natuurlijk, maar ik ben een beetje ontdaan door het bezoek van net. Gaan de kinderen over?'

Alicia zweeg, want ook dat had ze al uitgebreid verteld. Was hij echt zo in de war van Kieny en als dat zo was, wat moest ze daar dan van denken? Stiekem toch verliefd? Ze rilde bij de gedachte.

'Natuurlijk gaan ze over,' zei Loet nu. 'Dat had je ook al verteld. Neem me niet kwalijk, meisje. Ik bel een andere keer nog weleens, als ik wat rustiger ben.'

Ze verbraken de verbinding, maar Alicia bleef nog een hele poos met de hoorn in haar handen zitten. Wat was er met hem aan de hand?

's Avonds belde ze haar zus en vertelde van het rare gesprek. 'Ik maak me zorgen, Liselotte. Pap was echt zichzelf niet. Hij was alles vergeten wat ik hem al verteld had, hij deed gewoonweg kattig. Als jullie naar hem toe gaan, kijk je dan goed naar hem? Ik moet er niet aan denken dat hij daar in Frankrijk ziek zit te wezen. Stel je voor dat hij daarginds dement aan het worden is. Dan weet hij straks niet eens onze telefoonnummers meer. Hoe kan hij ons dan ooit nog bellen als hij ons nodig heeft?'

Liselotte beloofde extra alert te zijn en probeerde haar zus gerust te stellen. Hun vader was het immers niet gewend dat er een vrouw achter hem aanliep. Dat was sinds zijn jeugd niet meer gebeurd. Hij wist misschien gewoon niet hoe hij daarmee om moest gaan. Verder zou er vast niets aan de hand zijn.

André fronste zijn wenkbrauwen toen hij zijn vrouw met haar zus hoorde praten en toen ze de verbinding verbroken had, liep hij op haar af. 'Is er wat?'

'Dat heb je toch net wel gehoord.'

'Klopt, maar ik bedoel eigenlijk: ben je boos?'

'Op wie?' vroeg ze verward.

'Geen idee. Op mij?' vroeg André.

'Waar slaat dat nou op?' Geïrriteerd kwam ze overeind.

'Op Liselotte dan?'

'Nee, ik maak me zorgen, dat is alles.'

'Ik heb het gevoel van niet, Alicia. Het is net of je boos bent, of er ergens een opgekropte woede zit die er telkens met kleine steekjes uitkomt.'

'Nou, dat heb je dan mis.' Ze liep de kamer uit en knalde de deur achter zich dicht. Met grote stappen liep ze naar de zolder waar tegenwoordig mamma's stoel stond. Zuchtend liet ze zich erin zakken. De woorden van André klonken nog na in haar oren. Was ze boos? Nu ze erover nadacht, moest ze toegeven dat het wel zo voelde. Maar op wie dan? Toch zeker niet op hem? Nee, en ook niet op haar zus. Op zichzelf? Plotseling wist ze het en zag ze het haarscherp voor zich. Ja, ze was boos en daar had ze toch zeker ook het recht toe?!

13

Alicia raakte die boosheid niet meer kwijt. Diep van binnen zat iets behoorlijk te knagen en dat vrat aan haar humeur. Zelfs tijdens hun vakantie in Drenthe kon ze de woede niet kwijtraken. En al wist ze dat ze niet tegen de kinderen uit mocht vallen, omdat zij er immers niets aan konden doen, af en toe had ze zichzelf toch niet helemaal in de hand en kreeg deze of gene een snauw. Ze hadden twee weken prachtig weer, waardoor de kinderen gelukkig veel in het zwembad waren en ze niet opgepropt in het zomerhuisje hoefden te zitten. Maar zelfs al die zon kon Alicia's boosheid niet doen verdwijnen.

André keek haar regelmatig onderzoekend en bezorgd aan, maar zodra ze het gevoel had dat hij iets over haar gedrag wilde zeggen, stond ze op en verdween de kamer of het huisje uit.

De enthousiaste verhalen van Liselotte en haar gezin toen die weer terug waren uit Frankrijk werkten als olie op het vuur. André had voorgesteld om een dag naar hen toe te gaan. Hij hoopte dat Liselotte met Alicia wilde praten, want hij wist zo langzamerhand niet meer wat hij met haar aan moest. Maar het bleek achteraf een slecht idee geweest te zijn, al hadden de kinderen zich erg vermaakt.

Zoals Liselotte over hun vader praatte en over het huis ... Over de oceaan waarin ze bijna dagelijks was wezen zwemmen met Minke ... Over Sem die elke dag achter zijn opa aan liep en hem overal mee hielp ... Dat Sem zelfs een heel grote voorraad brandhout voor het gastenhuis had gemaakt van sprokkelhout en dikke takken die afgevallen waren en tussen de bomen lagen ... Bij elk nieuw verhaal leek het alsof Alicia alleen maar bozer werd. Toen Rutger ook nog eens lachend begon te vertellen over de jeu-de-boulescompetitie waaraan Loet en Evert hadden deelgenomen, was het Alicia echt te veel geweest. Geërgerd was ze opgestaan en had ze gezegd dat ze naar huis wilde.

Liselotte was haar nagelopen, maar het was haar niet gelukt met haar zus in gesprek te komen.

Nu was het een week voordat de school weer zou beginnen. Robbie vroeg elke dag of hij er al heen mocht. Volgens André was het een vlucht van de kleine jongen, omdat hij de laatste weken wel erg veel moppers gekregen had. Soms had hij zelfs het gevoel dat Robbie bang voor zijn moeder was. Else en Nina werden ook steeds stiller. Het werd de hoogste tijd dat hij stappen ging ondernemen. Misschien was hij zelfs al te laat, dacht hij toen hij zag hoe Robbie na het eten meteen naar boven ging, om te voorkomen dat zijn moeder ging mopperen. Het wilde, ongezeglijke jongetje was een slaafs onderdanig en veel te rustig kind geworden. Toen hij hem nakeek, schaamde hij zich dat hij niet eerder dwingend met Alicia gepraat had en het grote, zware gesprek eigenlijk maar wat voor zich uitgeschoven had in de hoop dat het vanzelf wel weer goed zou komen.

Hij stond ook op van tafel en liep Robbie achterna. De jongen keek schuchter om, maar zodra hij zag dat het zijn vader was, lachte hij. Een lach, die André nooit meer zag wanneer Alicia erbij was.

Toen later ook de beide meiden in bed lagen en André met twee koppen koffie de huiskamer inkwam, kwam Alicia ook de kamer in, vanuit de gang en met haar jas aan.

'Wat ga je doen? Ik heb net koffie gezet.'

'Ik heb behoefte om er even uit te zijn. Je ziet me wel weer verschijnen.'

Hij was overrompeld. Hij was het niet gewend dat ze zomaar wegging. 'Waar ga je heen dan?'

Alicia haalde haar schouders op. 'Ik moet gewoon even weg.'

Opeens wist André weer wat zijn plannen waren geweest voor die avond. Hij zette de kopjes op de salontafel en draaide zich naar haar toe. 'Ik wil niet dat je weggaat. Ik wil met je praten.'

'Daar heb ik geen zin in,' zei ze.

'Dat dacht ik wel, maar dat is even niet belangrijk. We moeten praten, want de sfeer in huis is om te snijden en dat ligt aan jou. Jij hebt ergens last van en dat werkt besmettelijk. Ik wil weten wat er is.'

'Ik wil niet praten. Ik ga weg.'

'Nee,' hield hij vol en hij liep op haar af. 'Het moet, Alicia, het is niet goed zoals het nu gaat. De kinderen lijden onder jouw gedrag.' Ze rukte haar arm los en liet hem alleen achter. Had hij haar achterna moeten lopen? Maar er was iets vreemds aan haar reactie. Tot twee keer toe had hij gezegd dat het aan haar lag dat de sfeer in huis niet goed was. Als hij dat een halfjaar geleden had gezegd, zou ze zeker uitgevallen zijn of in huilen uitgebarsten. Dan had ze zich opgesteld als het kleine meisje dat troost nodig had. Maar nu zei ze er niets van en ging ze gewoon doen wat ze al besloten had. Hij schudde zijn hoofd. Alicia was veranderd. Ze leek zelfstandiger en minder afhankelijk. Maar vrolijker was ze niet en al was het soms moeilijk om een verwend meisje als vrouw te hebben, dat had hij toch liever dan een vrouw die zo afstandelijk was en zo kattig en onaardig. Hij liet zich op de bank zakken en voelde zich moedeloos en hulpeloos.

Alicia fietste ondertussen flink door. Terwijl André Robbie in bed gelegd had, had zij haar collega Lucille gebeld en gevraagd of ze langs mocht komen. Lucille had blij verrast gereageerd en haar verteld hoe ze moest fietsen en welk trappenhuis in het grote flatgebouw ze moest hebben.

Alicia vond het nummer zonder problemen, maar vier hoog was hoger dan ze verwacht had en ze moest echt even bijkomen voordat ze aanbelde. Lucille had haar echter al langs het keukenraam zien lopen en deed vrolijk open.

'Poeh,' verzuchtte Alicia. 'Ik dacht dat ik een goede conditie had. Ik fiets bijna elke dag en in de vakantie heb ik regelmatig met de kinderen gezwommen, maar trappen lopen is blijkbaar heel wat anders.'

Lucille lachte. 'Toch leuk dat je er bent, hijgend of niet. Wil je koffie?'

'Graag.'

'Oké, schenk ik even wat in. Loop maar vast door.'

Alicia liep naar de huiskamer en keek om zich heen. Het was niet groot, maar wel erg gezellig ingericht. De kamer was leeg. Lucilles zoon leek niet thuis. Ze liet zich in een stoel bij het raam zakken en keek naar het flatgebouw aan de overkant. Ze was blij dat ze zelf een gewoon huis mét een tuin had. Ze keek op toen ze Lucille binnen hoorde komen. 'Gezellig heb je het hier.'

'Dank je. Ik vind het echt leuk dat je er bent. We werken nu al zolang samen en ik weet eigenlijk heel weinig van je.'

'Nou, maak je borst maar nat dan, want om heel eerlijk te zijn, kom ik niet voor de gezelligheid.'

'O?' Lucille zette twee mokken met koffie op het tafeltje en ging tegenover haar zitten.

'Tja, je zei gisteren op het werk dat ik zo kattig was ...'

'Dat was je ook,' riep Lucille verontwaardigd uit. 'Ik vroeg alleen maar geïnteresseerd waar de kinderen waren, omdat de school nog niet begonnen was en dan snauw je heel onaardig: bij mijn schoonouders. Waar had ik dat aan verdiend?'

Alicia zuchtte en voelde tot haar schrik dat de tranen haar in de ogen schoten. Snel pakte ze de mok om zich daarachter te verbergen. 'Dat had jij ook nergens aan verdiend, het ligt aan mij.'

'Is er wat dan?'

'Ja.'

Het bleef een hele poos stil. Ook Lucille dronk van haar koffie. Alicia keek naar buiten, waar het nog licht was. 'Heb je geen balkon?'

'Jazeker wel, maar iedereen zit buiten met dit mooie weer en dan kan ook iedereen horen wat we zeggen en dat vind ik zelf niet prettig.'

Alicia knikte en was dankbaar dat ze binnen zaten. 'Het ligt aan mij. Ik ben al weken onaardig. Ik heb zelfs onze vakantie verpest, maar ik weet niet wat ik ertegen moet doen. Ik geloof zelfs dat Robbie tegenwoordig bang voor me is. Dat vind ik misschien nog wel het allerergste. Zo'n klein knulletje en dan bang voor zijn moeder.'

Lucille knikte. 'Dat is ook vreselijk. Ben je al naar de dokter geweest?'

'Nee. Ik ben niet ziek.'

'Nou ja, het zou aan de overgang kunnen liggen.'

'Wat?' Alicia keek haar met grote ogen aan en plotseling moest ze lachen. 'Meid, ik ben dertig! Hoe kom je daar nou bij?'

'Eh, ja, dat was stom. Echt stom. Het zal wel komen omdat ik zelf in de overgang ben terechtgekomen. Ik ben ook nog maar vijfendertig, maar toch. Ik voelde me niet lekker en merkte dat ik soms zonder reden chagrijnig was. De dokter onderzocht me en vertelde hoe het kwam.'

'Joh, dat is echt niet leuk.'

'Ach, kinderen wil ik toch niet meer. Mijn zoon is immers al vijftien en trouwens, een man heb ik ook niet. Maar het voelt wel raar, ja, alsof ik al vijftig ben. Hier kwam je echter niet voor.'

Alicia knikte en besefte dat zij ook maar bar weinig van Lucille wist. Wel een zoon en geen man? 'Ben je gescheiden?'

'Nee, ik ben nooit getrouwd geweest. Ik had verkering, raakte zwanger en toen ging hij ervandoor.' Ze bracht het alsof het weinig voorstelde, maar zo kon het niet geweest zijn. Dat besefte Alicia wel, toch was het haar nu te zwaar om voldoende belangstelling voor Lucilles probleem op te brengen.

'Meid, wat is er.'

'Het is mijn vader,' zei Alicia en was blij dat het hoge woord er eindelijk uit was.

'Ben je onaardig vanwege je vader?'

'Ja.' Ze zweeg een poosje, speelde met haar lege mok, waardoor Lucille het idee kreeg dat ze nog een keer koffie wilde. Ze stond op en pakte haar de mok uit handen, liep ermee naar de keuken en kwam al snel weer terug. Ze keek Alicia vragend aan.

'Vind je het goed als ik erover vertel?'

'Natuurlijk!' zei Lucille met een warme blik in haar ogen.

'André wil elke dag wel met me praten en mijn zus ook. Ik heb ook een vriendin met wie ik weleens praat, maar ze zeggen allemaal hetzelfde en ik word er niet goed van. Jij bent een vreemde, althans, je zei net al dat je niet veel van mij wist. Misschien kan ik met jou beter praten, anders.'

'Maar ik ben geen psychiater.'

Alicia glimlachte. 'Denk je dat ik die nodig heb?'

'Misschien wel, ja. Als jij al weken onaardig en kattig doet vanwege je vader. Nou, kom op. Zit het je dwars dat hij verhuisd is?'

'Ja, precies. En iedereen vindt dat stom van mij. Ze zeggen allemaal dat ik het hem moet gunnen, maar ik voel me zo in de steek gelaten, zo alleen. Eerst ging mamma dood en toen ging pap gewoon weg. Helemaal het land uit. Ik voel me wees.'

Lucille knikte. Ze had weleens gehoord dat het beter was te luisteren dan te praten, dus ze dacht dat ze er misschien beter aan deed niets te zeggen.

Het werkte, want Alicia ging verder. 'Toen hij vertrok heb ik vreselijk staan huilen. Ik miste hem ook bijna al voordat hij weg was. Ik dacht dat ik er nooit overheen zou komen, zo verdrietig was ik. Eerst het verdriet van mamma, wat nooit overgaat en toen dit verdriet er nog overheen. Ik heb net zo lang staan zwaaien tot zijn auto en de verhuiswagen de hoek om reden en niet meer te zien waren. Ik stond daar met mijn hand in de lucht te zwaaien en te zwaaien en hij was weg, uit beeld en ik had mijn hand nog omhoog. Ik dacht dat ik kapot ging van verdriet en plotseling veranderde dat verdriet in woede. Ik werd woest op mijn vader. Ik miste hem opeens niet meer. Ik was gewoonweg kwaad! Kwaad omdat hij me in de steek liet. Kwaad omdat hij vertrok en zijn eigen gang ging zonder zich nog om mij te bekommeren.' Ze zuchtte diep na deze lange volzin en greep de mok, die ze tegen haar wang hield alsof ze het koud had, al zag ze er gloeiend verhit uit.

'Dat is toch eigenlijk best logisch,' opperde Lucille voorzichtig.

'Vind je?' Alicia schoot overeind. 'Dat vinden mijn zus en André niet. Die vinden dat ik het hem moet gunnen en niet zo moeilijk moet doen.'

Lucille aarzelde. Zou ze zeggen wat ze dacht? Ze had niet veel ervaring met vertrouwelijke gesprekken en ze wilde hun beginnende vriendschap ook niet op het spel zetten. Aan de andere kant: als je niet eerlijk tegen elkaar kon zijn, kon je ook geen vriendinnen zijn. 'Misschien hebben zij ook wel gelijk. Ergens wel, ja. Althans, ik denk dat jij je vader toch veel geluk toewenst.' Ze zag de blik in Alicia's ogen veranderen. 'Maar ik voel ook met je mee,' zei ze dus snel. 'Ik kan me best voorstellen dat je je zo voelt. In de steek gelaten, alleen.'

'Ja?'

'Ja, ergens is dat ook zo,' vond Lucille.

'Dus dan mag ik ook wel kwaad zijn?' vroeg Alicia.

Lucille glimlachte. 'Dat vind ik nou juist weer niet. Kijk, ik vroeg alleen maar waar je kinderen zijn en toen snauwde je me af. Ik bedoel: ik snap wel dat je kwaad bent op je vader, maar je moet het niet op mij afreageren en ook niet op André en de kinderen. Je zei dat je jullie vakantie verpest hebt. Dat lijkt me toch niet in orde.'

'Nee, dat is het ook niet en daar schaam ik me vreselijk voor. Dat had nooit mogen gebeuren, maar ik weet niet meer hoe ik mezelf moet beheersen. Die woede zit zo in mijn lichaam dat ik niet anders kan dan onaardig zijn.'

'Dus,' zei Lucille aarzelend. 'Als ik het goed begrijp zit jouw vader vrolijk in Frankrijk en jij bent woest en reageert die woede af op iedereen in je omgeving, waar je je dan weer voor schaamt, zodat je misschien nog kwader wordt enzovoorts.'

'Ja.'

'En hij weet niet eens dat je boos bent?'

'Nee, zeg, dacht je dat ik dat ging zeggen? Dan lachen ze me allemaal uit. Ze vinden toch dat ik het hem moet gunnen! Ik durf dit verder tegen niemand te zeggen. Ze zullen me stom vinden en belachelijk en een klein kind.'

'Maar nu heb je alleen jezelf en je omgeving ermee. Vooral jezelf. Dat lijkt me niet goed.'

Alicia zweeg, stond op en liep op het raam af, keek naar de overkant en zag inderdaad overal mensen op de balkons zitten.

'Mis je hem eigenlijk nog wel?'

Alicia draaide zich naar haar collega toe. 'Dat weet ik dus niet eens. Ik kan niet aan hem denken zonder kwaad te worden.'

'En bel je hem nog wel?'

'Eerst elke dag, maar daar ben ik al snel mee gestopt. Ik had gewoon geen zin om met hem te praten. Nu bel ik nog één keer in de week.'

'Omdat je dat wilt?'

'Meer om hem een plezier te doen.'

Lucilles gezicht barstte open in een gulle lach. 'Hoor je wat je zegt? Je belt hem alleen om hem een plezier te doen. Niet omdat je hem mist! Als je daar eens goed over nadenkt, dan leef je dus al weken of maanden zonder je vader. Je dacht dat je niet zonder hem kunt, maar je kunt het toch!'

'Hè?'

'Ja, toch?'

Alicia ging verward weer zitten, maar Lucille stond op. 'Ik haal een fles wijn op. Ik vind dat je een glas verdiend hebt.' In de gang wierp ze even een blik in de spiegel. Ze zag dat haar wangen rood waren. Was het van de spanning? Of inspanning? Het was best moeilijk, zo'n gesprek. En zei ze wel de goede dingen? In elk geval was Alicia tot nu toe nog niet kwaad geworden. Zou ze nog een keer vragen of ze meeging naar Franse les?

In de keuken ontkurkte ze een fles wijn, pakte twee glazen uit de kast en liep weer naar de kamer. Alicia stond opnieuw voor het raam. 'Het begint toch al weer vroeger donker te worden,' zei Alicia. 'De zomer loopt duidelijk ten einde.'

'Ja, jammer, hè? Ik hou zo van de warmte en de zon.' Lucille schonk de glazen vol en zette ze naast de mokken, maar bedacht zich en haalde de mokken weg, bracht ze naar de keuken en kwam weer terug. Ze wist niet wat ze moest zeggen.

Gelukkig begon Alicia weer te praten. 'Ik geloof dat je gelijk hebt. Ik kan inderdaad zonder mijn vader leven. Ik was het me niet bewust. Oké, ik denk elke dag aan hem, maar dat is steeds uit boosheid. Ik denk niet: was pap er maar, dan kon hij me helpen. Dit is echt verrassend. Ik had niet gedacht ooit zonder hem te kunnen.'

Zou ze het zeggen? Lucille besloot het wel te doen. 'Luister, niet boos worden, maar het is nu natuurlijk zo, dat je toch ook weer niet zonder je vader kunt, omdat je leeft op je woede tegen hem. Nu zou je die woede nog moeten zien weg te werken en dan kun je echt zonder hem leven.'

Alicia fronste haar wenkbrauwen.

'Ik bedoel niet dat je je vader uit je leven moet bannen, want hij is je vader en volgens mij is het heerlijk om hem af en toe te spreken of te zien, maar het moet zo worden dat je niet meer afhankelijk van hem bent.'

'Maar dat ben ik toch al niet meer?'

'Een beetje wel,' zei Lucille voorzichtig. 'Dat zei ik al. Je leeft op je woede.'

'Hm.' Alicia pakte het glas en hield het tegen het licht van de ondergaande zon. 'Mooi kleurtje.'

'Frans,' zei Lucille en schrok ervan. Dat had ze misschien beter niet kunnen zeggen.

'Ja, lijkt me logisch,' zei Alicia tot haar verrassing. 'Jij bent immers gek op Frankrijk.'

Lucille haalde opgelucht adem. Ze vond het zo bijzonder dat iemand zo'n diepgaand gesprek met haar wilde hebben, zo'n vertrouwelijk gesprek, dat wilde ze echt niet verknoeien. 'Ik vind het geweldig dat je hier bent, Alicia.'

'Meen je dat nou? Erg gezellig ben ik niet.'

'Je doet in elk geval niet kattig,' zei Lucille lachend.

Alicia kon er ook om lachen. Ze nam een slok en zuchtte weer eens. 'Hoe kom ik nou van die woede af? Want je hebt gelijk, daar leef ik op. Maar het is vreselijk voor iedereen in mijn buurt.'

'Ik heb weleens gehoord ...' begon Lucille zacht.

Alicia keek haar vol verwachting aan. Het was duidelijk dat ze op een oplossing hoopte.

'Nou, dat je een boze brief aan je vader kunt schrijven. Je hoeft hem niet te versturen, als je het maar schrijft. Alles wat je denkt. Later kan je hem verbranden. Maar ik heb ook weleens gehoord dat het heerlijk is om te schreeuwen. Ga bijvoorbeeld naar het bos en als er niemand anders is, ga je gewoon keihard tegen een boom schreeuwen alsof het je vader is.'

'Ik ben niet goed in schrijven en schreeuwen ...'

'Ik dacht ... Weet je, ik dacht ...' Lucille wist niet hoe ze haar woorden moest formuleren. 'Je bent kwaad op je vader. Die kwaadheid zit in je binnenste. Of nee. Ik bedoel ... Je zou kunnen zeggen: Pap, jij verdwijnt zomaar uit mijn leven. Je doet maar waar jij zin in hebt. Nou, sorry, hoor, maar dan doe ik ook waar ik zin in heb. Ik heb je niet meer nodig, pap, ik ga mijn eigen gang. En dan hoef je niet meer kwaad te zijn. Nee, dan ga jij lekker ook iets doen wat jij graag wilt.'

Alicia fronste haar wenkbrauwen. 'Dat klinkt goed. Zoiets als: pap, je kunt de pot op.'

'Precies, dat bedoel ik.'

'Hm,' zei Alicia peinzend. Ze knikte en pakte haar glas, nam een slokje. Er verschenen denkrimpels op haar voorhoofd. 'Klinkt echt goed, Lucille, maar wát wil ik dan doen?'

'Heb je geen hobby? Is er niet iets wat je altijd al wilde?'

Alicia haalde haar schouders op. 'Ik heb het hartstikke druk. Het huis schoonhouden, de kinderen en dan nog m'n werk bij Jacques en mam ...' Ze sloeg een hand voor haar mond. Ze schrok ontzettend van zichzelf. 'Mamma ...' herhaalde ze zachtjes.

Lucille zweeg.

'Ik ging altijd elke dag naar mamma, maar ... waarom zei ik dat nou? Weet je: háár mis ik! Verschrikkelijk!'

'Met haar had je ook een andere band dan met je vader, denk ik.'

'Ja, maar ...' En opeens kwamen de waterlanders toch. Ze stroomden zomaar over haar wangen. 'Ik mis pap ook! Ik wil het alleen niet voelen. Ik wil het niet weten. Daarom doe ik zo boos. Maar ik mis hem!'

'Toch kan je heel goed leven zonder hem elke dag te spreken en Alicia, sinds je moeder er niet meer is, heb je toch eigenlijk tijd over? Als je niet meer naar haar toe kunt. Wat doe je dan?'

'Harder in de tuin werken,' zei Alicia, terwijl ze een papieren zakdoekje uit haar broekzak viste.

'Maar is er dan niets wat je altijd al wilde doen?'

'Ik weet niets te bedenken.'

'Ga dan met mij op Franse les. Dan kom je er eens uit, je ziet andere mensen. Het zijn echt allemaal leuke mensen en weet je wat je ook kunt doen? Ik ga vaak op zaterdag met twee vriendinnen stappen. Ga mee!'

Alicia's mond viel open. 'Stappen? Dat doe je toch niet meer als je getrouwd bent en moeder.'

'Waarom niet? Ik ben moeder, een van mijn vriendinnen is moeder. Je kunt als moeder toch ook lol maken?'

'Stappen?' Alicia keek haar collega aan alsof ze het in Keulen hoorde donderen. 'Hm, het lijkt me eigenlijk wel leuk. Ik ben in geen eeuwen meer zonder André ergens naartoe geweest.'

'Dan doen we dat. Zaterdag meteen maar?'

'Oké. Hoewel. Ik moet het eerst aan André vragen.'

'Vragen?'

'Ja, want hij moet immers op de kinderen passen.'

'Oké, maar je moet het niet vragen, je moet gewoon zeggen dat je gaat.'

'Poeh, jij durft.' Maar Alicia lachte. 'Weet je, ik ben eigenlijk niet zo'n type dat gemakkelijk persoonlijke dingen aan een ander vertelt, maar ik wou dat ik dit eerder gedaan had. Het was echt heerlijk om met je te praten.' Ze stond lachend op en sloeg zelfs even haar armen om Lucille heen. 'Bedankt en tot zaterdag dus!'

Terwijl ze weer naar huis fietste, voelde ze de zachte zomerwind haar wangen strelen. Ze voelde echter ook iets anders. De knoop uit haar maag was weg. De knoop van woede die ze al maanden had gevoeld. Het was een bijzondere gewaarwording, maar wel heel geweldig. In een opwelling riep ze opeens tegen een lantaarnpaal: 'Pap, ik kan wel zonder jou, hoor. Ik ga stappen! Daar heb ik je echt niet bij nodig!' Ze lachte om zichzelf en ze lachte nog toen ze weer thuiskwam.

André wist niet wat hij zag. 'Waar ben jij geweest?' vroeg hij enigszins achterdochtig.

'Bij een collega en zaterdag gaan we stappen!'

Nu was het André die woede voelde opkomen. Maandenlang had hij geduld gehad en nu ging ze met een collega uit? En de avond was blijkbaar ook erg leuk geweest, want zo vrolijk had hij haar al in geen tijden meer gezien. Wat had die vent wat André niet had?

'Ja, met Lucille, ik heb het weleens over haar gehad, een heel leuke meid.'

Lucille? Wat een geluk dat hij niets gezegd had, alleen maar gedacht.

'Heb je nog een glaasje wijn voor me en zullen we daarna even praten?'

14

Met grote passen liep Loet over de bovenverdieping van het huis, van zijn woonkamer naar de trap naar beneden. Hij had geen haast, maar hij genoot ervan grote stappen te nemen met zijn lange benen. Elke keer opnieuw verraste het hem hoe heerlijk het was om door het huis te lopen. Zelden had hij binnenshuis zulke grote passen kunnen nemen. In zijn vorige huis in Eindhoven, het huis van Paula en hem, had hij nergens meer dan drie grote passen kunnen zetten. Of de ruimte was er te klein voor geweest, of het had er vol meubels gestaan. Wat natuurlijk heel normaal was in een gewoon woonhuis. Maar om echt minstens tien, vaak nog meer grote passen te kunnen nemen, dat gaf hem zo'n bevrijdend gevoel dat hij er telkens van genoot. Evert en hij hadden die ruimte totaal niet nodig voor henzelf, maar toch kon Loet zich al niet meer voorstellen dat hij ooit kleiner moest wonen en zijn benen niet meer zo kon strekken als hij hier kon. Al waren er kamers in het huis waar hij soms een week niet kwam, de gangen, de brede trap, de grote woonkamer, alles bij elkaar gaf het hem een ongelooflijk vrij gevoel.

Er was ook geen kamer in het huis waar hij het plafond kon raken. Zelfs de kamers op de zolderverdieping waren hoog. Hij kon overal zijn armen spreiden of omhoogsteken zonder zich te stoten en zijn grote lichaam kreeg eindelijk de kans zich voluit te bewegen. Hij voelde dat hij ervan groeide en rechter op liep dan ooit. En telkens opnieuw was dat een heerlijk gevoel waar hij nog steeds niet aan gewend was. Hij hoopte ook dat hij er nooit aan zou wennen, want dat betekende dat hij er steeds weer van zou genieten.

Bij de balustrade bleef hij staan en keek naar beneden. Eigenlijk keek hij nu in de grote hal, maar Evert en hij hadden er de gemeenschappelijke huiskamer van gemaakt. Het was de centrale ruimte van het huis met de brede trap naar boven en met deuren die naar de kamers van Evert leidden en naar de grote woonkeuken. De kamer was moeilijk te verwarmen, dat hadden ze zich wel gerealiseerd. De warmte verdween zo naar boven, maar mocht het er 's winters te koud zijn, dan hadden ze ieder hun eigen woonkamer nog waar ze konden verblijven. Tegen de buitenmuur hadden ze een grote houtkachel laten plaatsen, de enige verwarmingsbron in de hal annex woonkamer. Maar wel bijzonder gezellig. Ze zaten er graag 's avonds na het eten te genieten van een glas wijn, het knapperende vuur en de Franse televisie. Of ze zaten er op hun gemak een boek te lezen. Maar sinds een paar dagen had Loet nog maar weinig televisie gekeken en geen boek meer opengedaan. Evert had namelijk zijn computer in de nis onder de trap gezet en gezegd dat het tijd werd dat Loet er ook eens mee leerde werken.

De voornaamste reden was dat hij wilde dat Loet leerde hoe hij e-mails kon ontvangen en beantwoorden. Dat was omdat het gastenverblijf zo goed als klaar was en Evert het te huur had gezet op internet. Hij vond dat ze beiden in staat moesten zijn het verhuur te regelen, ze waren immers ook beiden eigenaar.

Hoewel Loet op zijn werk ook wel met computers gewerkt had, had hij er nog nooit iets persoonlijks op gedaan. Hij vond het verrassend leuk en spannend en was bijzonder leergierig. Toch ging het niet allemaal even snel. Gelukkig was Evert een geduldige man en legde hij op vrij eenvoudige wijze uit hoe Loet kon mailen en wat hij allemaal met zijn mails kon doen.

Loet lachte. Vandaag zou hij zijn dochters eens gaan verrassen. In de zomer, toen Liselotte en haar gezin bij hem kampeerden in hun caravan, had Liselotte hem een cadeau gegeven: een digitale camera. Hij was er in eerste instantie niet echt blij mee geweest. Hij herinnerde zich hoe Minke foto's gemaakt had van hun weekendje-uit en hoe hij vol bewondering naar zijn kleindochter had gekeken. Maar ook vol afschuw, want het was hem veel te technisch. Liselotte had echter uitgelegd hoe de camera werkte en echt moeilijk was het niet eens. Dus had hij al heel wat foto's gemaakt van het huis en de omgeving, van het dorp en van hun jeu-de-bouleswedstrijden. Gisteravond had Evert hem uitgelegd hoe hij die foto's op de computer kon zetten om ze daar te bewaren en hoe hij ze per e-mail kon versturen naar zijn dochters. Ook had hij een eigen e-mailadres voor Loet aangemaakt.

Hij had nog nooit naar zijn dochters gemaild en hij verheugde zich erop hen op deze manier te verrassen. Al zou Liselotte wel een vermoeden hebben, want hij had immers om haar en Alicia's e-mailadres moeten vragen. Hij had het weliswaar met een smoesje gedaan, maar hij vermoedde dat ze toch wel op een bericht per computer zat te wachten. Ze zou alleen vast niet denken dat hij er foto's bij zou voegen.

Glimlachend liep Loet de brede trap met twee treden tegelijk af. Sjonge, wat was het toch geweldig dat Evert dit huis gekocht had en Loet mede-eigenaar had willen maken. Hij voelde zich herboren en vele jaren jonger sinds hij hier in Frankrijk was. Hij had duidelijk nieuwe energie gekregen en wat nog veel leuker was, hij had heel wat nieuwe kanten van zichzelf leren kennen. Zoals het opknappen van meubels. Hij vond het geweldig om te ontdekken dat hij het kon en was blij met het plezier dat het hem gegeven had. En later het maken van de foto's. Hij wist eigenlijk niet dat hij het geduld bezat om minstens twintig minuten naar een vogel of vlinder te kijken totdat hij tevreden was met de foto. En nu dan het mailen, iets wat voor hem nog veel technischer was dan foto's maken. Maar hij kon het en het leverde hem plezier op. Ja, het was een geweldige beslissing geweest om hier te gaan wonen.

Er waren maar twee problemen. Zijn gezicht betrok toen hij eraan dacht. Hij ging achter de computer zitten, die al aan stond. Vermoedelijk had Evert er net iets op gedaan. Hij zocht zijn mailbox op en opende een nieuwe, lege mail. Het ene probleem was Paula. Hij miste haar af en toe enorm. Juist omdat zijn leven zo anders geworden was, juist omdat er zo veel nieuwe dingen gebeurden, miste hij haar. Hij wilde niets liever dan haar alles vertellen wat hij meemaakte. Hij verlangde naar haar luisterende gezicht met die warme, liefdevolle ogen. Vaak betrapte hij zichzelf erop dat hij met een verdrietig gevoel naar bed ging. Overdag werd hij afgeleid door al die nieuwe bezigheden en belevenissen, maar 's avonds in bed zag hij Paula's gezicht voor zich en voelde hij de pijn dat hij haar niet vertellen kon wat hij had meegemaakt. Aan de ene kant was het goed dat hij niet meer in Eindhoven woonde, want daar zou hij zeker gek van verdriet geworden zijn, omdat alles aan haar herinnerde. Aan de andere kant deed al dat nieuwe juist zo'n pijn. Toch merkte hij dat het begon te slijten. Dat het wende dat ze er niet was om mee te praten. Hij merkte dat hij niet meer elke avond verdrietig was, maar soms met een gelukkig gevoel naar bed ging omdat hij snel wilde slapen om verfrist wakker te worden en weer verder te gaan met waar hij mee bezig was. Heel soms schaamde hij zich dan dat hij niet aan Paula gedacht had, tegelijkertijd wist hij dat het goed was. Hij moest immers verder zonder haar! Hoe verdrietig hij ook was, hoeveel pijn hij ook had, ze zou nooit meer terugkomen, dus was het goed dat het verdriet en de pijn sleten.

Zijn andere probleem was Alicia, die nu al twee hele weken niet gebeld had. Daar begreep hij echt niets van en hij maakte zich grote zorgen om haar. Dat deed hij al sinds hij vertrokken was, of nee, zijn hele leven al. Sinds zijn verhuizing was het erger geworden, maar de laatste tijd bedrukten zijn zorgen hem.

Natuurlijk was het goed dat ze niet elke dag meer belde. Zij moest ook haar eigen leven leiden. Het verschil was echter te groot. Eerst was hij blij geweest dat ze minder ging bellen, zo eens per week. Hij dacht dat het goed met haar ging en dat ze leerde zonder haar vader te leven. Maar twee hele weken was wel erg lang. Daarom had hij haar een paar dagen geleden ook gebeld, om te horen of ze ziek was. Ze was echter bijzonder kortaf geweest en bepaald niet toeschietelijk en dat verontrustte hem zeer. 'Meisje, je hebt al tien dagen niet gebeld. Is er wat?' had hij bezorgd gevraagd. 'Wat moet er zijn?' had ze vrij onvriendelijk gezegd. 'Ik ben gewoon druk.' Waarmee had ze niet willen zeggen. Ze had het gesprek vrijwel meteen afgebroken en Loet had het gevoel gekregen dat ze boos op hem was. Dat had hij goed kunnen begrijpen als dit in juni gebeurd was, vlak nadat hij naar Frankrijk vertrokken was en haar voor haar gevoel in de steek had gelaten, maar het was inmiddels september en hij begreep niet waarom ze nu boos was. Wat er de reden voor was. Of had het niets met hem te maken? Was ze ontslagen? Had ze ruzie met André?

Letter voor letter typte hij het adres van Alicia in de nieuwe mail. Hij zou zijn eerste eigen mail aan zijn jongste dochter sturen.

Lieve Alicia,

Vind je dit niet verrassend? Een echte e-mail van je vader. En het aardige is: ik schrijf en verstuur hem helemaal zelf. Ook de bijlagen heb ik zelf gemaakt. Ik hoop maar dat alles overkomt, want ervaring heb ik nog niet. Dit is namelijk mijn allereerste mail – en die stuur ik dus naar jou.

Hoe gaat het toch met je? Toen ik je onlangs belde was je zo kortaf.

Loet stopte met typen en dacht na.

Nee, de laatste zin moest weggehaald worden, want dat zou als een verwijt over kunnen komen en dat wilde hij beslist niet. Als ze inderdaad boos op hem was, moest hij die boosheid niet verder aanwakkeren.

... dus die stuur ik naar jou. Wie had dat gedacht? Je vader achter de computer. Ik zelf in elk geval niet. Ik heb de afgelopen tijd veel

technische dingen geleerd. Eerst jullie mobiele telefoon met het sms'en en van Liselotte kreeg ik een digitale camera, waar ik eerst niet mee durfde te fotograferen en nu maak ik elke dag wel een foto! En onlangs heeft Evert me geleerd hoe ik een mail kan lezen en beantwoorden.

Hoe gaat het met je, meisje?

Loet hield weer op. Wat kon hij het beste schrijven om het contact tussen hen weer te herstellen? Hij aarzelde en stond op, beende heen en weer in de grote kamer en kroop vervolgens weer achter de computer in de nis onder de trap.

Ik mis je.

Kon hij dat schrijven? Het was zo, maar hoe zou ze reageren?

Had je maar niet moeten verhuizen! Ja, dat zou ze wel zeggen, maar wat moest hij dan om haar te bereiken? Hij wist het.

Zou je het leuk vinden als ik binnenkort een weekend naar je toe kom? Dan kunnen we weer eens heerlijk bijpraten. Het lijkt me echt geweldig fijn om je weer te zien.

Dit was hij helemaal niet van plan geweest, maar plotseling leek het niet meer dan logisch. Als zij niet naar hem wilde komen, moest hij naar haar toe. Ruim drie maanden had hij haar niet gezien. Dat was haar hele leven nog niet gebeurd. Ja, hij wist opeens zeker dat hij dit wilde. Hij moest het wel met Evert overleggen, want over twee weken kregen ze hun allereerste gasten in het vakantiehuis, maar hij voelde dat hij dit moest doen.

Als je het te lastig vindt als ik bij jullie kom logeren, moet je dat gewoon zeggen. Dan zorg ik voor ander onderdak.

Ik hoop gauw iets van je te horen. Al was het alleen maar om me te laten weten dat de mail is aangekomen. De foto's die bij de mail zitten zijn van mijn huiskamer, mijn slaapkamer en van de grote gemeenschappelijke woonkamer waar ik nu zit.

Veel liefs van je vader

Hij las de tekst nog eens zorgvuldig over en was tevreden. Geen verwijt, geen zorgen uitgesproken, maar gewoon voorgesteld dat hij in de auto zou stappen om haar te zien. Prima! Nu nog de foto's erbij doen en dan kon hij hem verzenden.

Hij kreeg er echt plezier in en schreef meteen na het verzenden een mail naar Liselotte. De mail naar Liselotte was heel anders van toon. Het was eigenlijk vreemd, maar de laatste weken had hij meer contact met haar dan met Alicia. Natuurlijk wist hij dat Liselotte altijd meer zijn meisje was geweest dan Alicia, maar Alicia had hem vooral de laatste tijd dat hij nog in Eindhoven woonde duidelijk meer nodig gehad dan de zelfstandige Liselotte.

Hij was benieuwd wanneer hij een reactie zou krijgen en vond het zelfs jammer dat hij niet nog meer e-mailadressen had. Hij kon in elk geval zijn foto's eens ordenen op de computer en zo vond Evert hem een poos later: intens geconcentreerd bezig.

'Dus hier zit je? Ik vroeg me al af wat er was. Meestal eten we rond zeven uur, maar ik rook nog niets en je riep ook niet.'

Loet keek geschrokken op. 'Is het mijn beurt om te koken? Lieve help, ik heb er geen seconde aan gedacht. Ik ben mapjes aan het maken op de computer voor al mijn foto's. Vind je het niet vervelend dat ik al mijn foto's op jouw computer zet?'

'Welnee, ik heb geen geheimen voor je en als ik die wel heb, verstop ik ze,' zei Evert grinnikend. 'Het geheugen van de computer is groot genoeg. Dus het is echt geen probleem. Is er nog mail binnengekomen?'

'Ja, van die mensen die hier komen. Ze wilden weten of ze ook beddengoed mee moesten nemen. Ik heb ze al teruggeschreven dat dat niet hoeft. Bij de prijs inbegrepen, toch?'

'Wat een vreemde vraag. Dat staat nota bene in de advertentie! Zeg, zal ik voor deze keer maar een pizza uit de diepvries halen?'

'Pizza is prima, maar ik haal hem eruit. Als het mijn beurt is, maak ik het eten klaar ook.' Loet kwam overeind. 'Ik heb de kinderen net een mail gestuurd. Wanneer denk je dat ze die hebben?'

Evert begon te schateren. 'Je hebt er echt geen kaas van gegeten, hè?'

Loet zweeg.

'Die kregen ze een seconde nadat jij hem verstuurde.'

'Zo snel?'

'Ja,' zei Evert lachend. 'Het gebeurt weleens dat een mail ergens blijft hangen, maar over het algemeen krijgen ze hem meteen na verzending. Maar ze moeten natuurlijk wel hun computer aan hebben staan en online zijn, anders komt ie niet binnen.'

'Dus ik zou vanavond al antwoord kunnen krijgen?'

'In principe wel, ja.'

'Spannend. Ik heb namelijk voorgesteld om een weekend naar Eindhoven te gaan.'

'Wanneer?' Evert keek hem verbaasd aan.

'Binnenkort. Wanneer het Alicia uitkomt.'

'Juist als wij gasten gaan krijgen? Dat had je dan beter de afgelopen weken kunnen doen.'

'Misschien wel, ja, maar toen was het nog niet in me opgekomen. Ik vind dat ik haar nu te lang niet gezien heb, dus had ik er zin in. Natuurlijk wel in overleg met jou, maar ik denk toch deze maand nog.'

Evert was verward. 'Als jij van plan bent om dat vaker te doen, wat moeten we dan met onze gasten? We hebben er immers zelfs over gedacht om volgend jaar gasten voor logies en ontbijt in huis te nemen. Moet ik dat dan allemaal alleen doen?'

Loet glimlachte. 'Toen jij nog in Rotterdam woonde, ging je ook regelmatig naar je kinderen. Dus het is echt niet gek om dat vanuit Frankrijk ook te doen. Ik denk dat jij ook nog weleens terug wilt en dan sta ik er alleen voor. In goed overleg moet dat toch kunnen?'

Hij liep naar de keuken en haalde twee pizza's uit de diepvries, las zorgvuldig hoe hij ze opwarmen moest en zette er een in de magnetron. Hij was er echter met zijn gedachten niet helemaal bij. Hij hoopte zo op bericht van Alicia. Hij maakte zich echt grote zorgen om haar en hij hoopte dat zij het ook een leuk idee vond als hij weer eens bij hen kwam.

Helaas kwam er die avond geen bericht van Alicia. Wel een zeer enthousiaste mail van Liselotte, die het geweldig vond dat haar vader kon mailen. Ze gaf hem ook de e-mailadressen van Sem en Minke, waar hij erg blij mee was. De gedachte dat opa met zijn kleinkinderen mailde, deed hem groot plezier. Maar van Alicia kwam niets. Ook de avond erop niet en de avond daarop niet. Loet gaf haar nog twee dagen, dan zou hij haar bellen, want dit werd hem te gortig.

Alicia was zich echter nergens van bewust. Ze stond ongeduldig op haar tenen te wippen om maar zo ver mogelijk te kunnen kijken, maar ze zag Lucille nog steeds niet aankomen. Ze keek op haar horloge en zag dat ze ook wel erg aan de vroege kant was. Nou ja, beter te vroeg dan te laat. Ze wilde de eerste keer geen verkeerde indruk maken. Toch waren er al een paar mensen naar binnen gegaan. Ze hadden haar vriendelijk gegroet en dat had haar een prettig gevoel gegeven.

Tien dagen geleden was Alicia met Lucille wezen stappen. Het was lang geleden dat ze zo'n geweldige avond had gehad. Ze was pas tegen drie uur thuis gekomen en André was inmiddels behoorlijk ongerust geworden. Maar dat was echt nergens voor nodig geweest. Lucille en haar vriendinnen waren leuke meiden en ze gingen vaker stappen, dus ze kenden de leukste en gezelligste kroegen. In drie daarvan waren ze geweest en overal hadden ze plezier gemaakt. Natuurlijk werden ze steeds lolliger hoe later op de avond, of eigenlijk hoe vroeger in de ochtend, het werd. Dat kwam voornamelijk door de glazen wijn en bier die ze dronken, maar toch ook doordat ze er zelf allemaal zo'n zin in hadden. Inderdaad was er nog een moeder bij, moeder en getrouwd. Ze ging echter al jaren om de veertien dagen uit en ze vond het de normaalste zaak van de wereld. Haar man ging elke zondag naar voetbal en dat kostte hem meestal de hele dag. Dan zat zij alleen met de kinderen en dat vond ze ook geen probleem. Ze was van mening dat ook getrouwde mensen dingen alleen mochten doen en dan vooral dingen die ze leuk vonden. Ze had meteen voorgesteld dat ze eens met Lucille en haar zou gaan winkelen. Gewoon voor de lol. Niet zoals Alicia het gewend was om kleren te kopen voor de kinderen of haar man. Nee, slenteren, kijken en ergens koffie drinken. Voor Alicia was dit een nieuwe wereld. Ze was nog nooit zonder André ergens heen geweest, behalve dan soms naar een ouderavond op school, omdat André dan op de kinderen paste. 'Je moet ook iets voor jezelf gaan doen,' had ze tegen André gezegd toen ze de volgende dag na lang uitslapen eindelijk weer aanspreekbaar was. 'Het is echt leuk om even je dagelijkse dingen te vergeten.'

'Moet jij zeggen,' had hij verwonderd gereageerd. 'Weet je nog dat ik op basketbal zat toen we trouwden en dat jij vond dat ik daar af moest gaan nadat Else geboren was?' Tot haar schande had ze ja moeten knikken. Ze wist het opeens weer precies. Elke donderdagavond ging hij ernaartoe, maar na Elses geboorte vond ze dat niet meer kunnen. Hij was vader en hoorde thuis te blijven. Hij was het er niet mee eens, maar ze had zo gezeurd, geklaagd en zich aangesteld, bedacht ze nu, dat hij de sport had opgegeven. En nu zei ze dat hij iets voor zichzelf moest doen. Ze begreep waarom hij zo verbaasd was. 'Ik heb me vergist,' had ze timide gezegd. 'Ik denk dat het heel goed is om eigen dingen te hebben.' En dus was ze ook op Lucilles voorstel ingegaan om mee naar Franse les te gaan. Ze had Frans immers altijd een erg mooie taal gevonden en opeens had het haar echt leuk geleken iets van zichzelf te hebben. Thuis bezig te zijn met haar eigen hobby, huiswerk maken voor de les. Ze had zich opgegeven en vanavond begon de cursus weer. Ze zou buiten op Lucille wachten, maar waar bleef ze nou toch?

Ze wipte nog eens op haar tenen en zag nu heel in de verte een fietser met een knalrode jas aankomen. Was ze dat? Alicia volgde de fietser met de ogen en een paar tellen later begroetten ze elkaar opgewekt.

'Ben je er klaar voor?' vroeg Lucille vrolijk.

'*Oui*, helemaal!'

'*Bon*, dan gaan we naar binnen,' zei Lucille lachend.

Het klaslokaal was nog leeg. 'Hoe kan dat? Ik heb al zeker tien, vijftien mensen naar binnen zien gaan.'

'Dacht je dat hier alleen Frans gegeven werd? Er zijn een heleboel cursussen tegelijk. Even kijken.' Ze haalde haar papieren tevoorschijn en keek nog eens op het nummer van de deur. 'We zitten toch goed hier. De anderen zullen zo wel komen.'

Lucille had gelijk. Nog geen drie minuten later zaten er ongeveer twintig mensen in het lokaal en stond er een vrolijke jonge meid voor de klas. '*Bonsoir*!' begon ze de les. 'Goedenavond.'

Deze eerste les bestond uit kennismaken en uit het vertellen hoe de vakantie was geweest. Maar wel alles in het Frans. Voor Alicia was het lang geleden dat ze Frans gesproken had en na afloop tuitten haar oren en had ze rode wangen van de inspanning om de gesprekken te kunnen volgen.

'Je gaat wel proberen ons bij te houden, hoor,' zei Lucille. 'Want ik zou het niet leuk vinden als je naar een andere klas moet.'

'Het viel me anders best tegen. Thuis dacht ik dat ik nog veel kon, maar zulke gesprekken, pfff.'

'Zeg, ik ga altijd met een paar cursisten nog ergens wat drinken.

Hier vlakbij is een gezellig café. Ga je mee?'

'Eh, nou, nee. Misschien de volgende keer, maar ik heb André beloofd dat ik niet lang weg zou blijven en bovendien ben ik eigenlijk best moe. Ik vond het heel erg inspannend.'

'Maar wel leuk?'

'Fantastisch! Ik ben echt blij dat ik geweest ben, Lucille en ik ga zeker hard aan mijn huiswerk werken. Dus maak je geen zorgen, over een paar weken spreek ik het sneller dan jij.'

Ze had niet gelogen, het was echt leuk geweest. Zo heel anders dan een avond thuis zitten en natuurlijk had ze tijd genoeg om huiswerk te maken. Het was toch immers echt zo dat ze tijd overhield sinds haar moeder er niet meer was. En helemaal sinds haar vader er niet meer was. Tot nu toe had ze die tijd opgevuld met boos of verdrietig zijn, maar Franse woorden leren en nieuwe, leuke mensen ontmoeten was echt veel en veel leuker dan zielig te zitten piekeren. 'Volgende week ga ik wel mee wat drinken, hoor. Maar nu wil ik naar huis. Dag!'

Lachend namen ze afscheid en fietste Alicia naar huis.

André wilde alles van haar weten en luisterde vol aandacht. Ondertussen dacht hij voortdurend verwonderd hoe zeer Alicia in korte tijd veranderd was. De sfeer in huis was opeens ook totaal omgeslagen en het was tegenwoordig echt weer leuk om thuis te komen. De kinderen lachten en joelden, Robbie was af en toe weer eens vervelend en Alicia begroette hem elke dag blij en warm. Spontaan sloeg hij zijn armen om haar heen en kuste haar midden in een Franse zin.

'O, dat is waar ook, ik moest net even wat geld overmaken op de computer en toen ik online ging, kwam er een mail voor je binnen. Ik heb hem niet gelezen, alleen kon ik niet voorkomen dat ik de naam van de afzender las. Je raadt nooit wie dat is.'

'Nou, dan begin ik er ook niet aan. Zeg het maar.'

'Je vader.'

'Wat? Kan pap mailen?'

Ze zei het redelijk opgewekt, maar André zag hoe haar gezicht betrok en dat de lach uit haar ogen verdween. De kou sloeg hem om het hart. Was met het noemen van een naam alle vrolijkheid uit huis weer weg?

'Alicia?'

Maar ze reageerde niet terwijl ze traag naar de computer liep en erachter ging zitten.

- 15 -

Lieve pap,

Je mail vond ik gisteravond pas. Ik kijk niet vaak in mijn mailbox en ook nu had ik niet gekeken, maar André moest online en toen kwam jouw mail binnen. Inderdaad heel verrassend. Ik had nooit gedacht dat je dat zou proberen en zou kunnen. Mooie foto's. Ik zal straks wat foto's bijvoegen van onze vakantie in Drenthe. Er zit een heel leuke van Robbie bij.

Maar je hoeft niet te komen. Ik vind het wel erg aardig dat je het voorstelt, maar ik ben er niet aan toe. Ik vind dit moeilijk om uit te leggen en helemaal op papier. Ik hoop dat ik later in staat ben je te vertellen wat ik voel.

Natuurlijk mis ik jou ook en ik zal je binnenkort weer eens bellen, want ik heb best wat leuke dingen te vertellen over mijn leven.

Veel liefs,

je Alicia

Ze las de mail wel tien keer over en verbeterde hier en daar een foutje. Ze aarzelde om hem te verzenden. Ze was wel erg eerlijk geweest. Zou ze pap daar niet mee kwetsen? Waarschijnlijk wel. Maar wat had hij eraan om die hele reis te ondernemen als ze hem eigenlijk niet wilde ontvangen? Ze besloot de e-mail te verzenden en drukte op de verzendknop.

Niet veel later las Loet dezelfde tekst. In eerste instantie voelde hij zich verbolgen. Had hij aangeboden die hele reis voor haar te maken, wilde ze niet dat hij kwam. Hij zei zelfs chagrijnig tegen Evert dat die zich geen zorgen meer hoefde te maken over de gasten, want hij ging niet weg. Evert trok zijn wenkbrauwen zo hoog op bij deze snauwende opmerking dat Loet begreep dat hij niet echt vriendelijk was geweest. 'Sorry,' mompelde hij en keerde terug naar de computer om de mail nog eens te lezen. Bij de vijfde keer lezen ontdekte hij tot zijn verrassing dat er diep van binnen bij hem iets van bewondering begon te schemeren en ook trots, omdat Alicia zomaar gezegd had wat ze wilde, of nee, wat ze niet wilde: namelijk dat hij kwam. Vroeger zei ze alleen maar wat ze wel wilde, en kreeg ze het niet dan kon ze soms een keel opzetten. Nu kwam ze voor zichzelf op en verdedigde zichzelf, want op de een of andere manier was Loet op dit moment een gevaar voor haar. Maar dat was iets heel anders dan krijsend je zin doordrijven. Dit klonk naar volwassenheid en glimlachend bedacht hij dat het erop leek dat Alicia niet meer mamma's kleine meisje was, maar paps grote meid!

Hij mailde dan ook terug dat hij trots op haar was dat ze zo eerlijk was, maar dat hij wel hoopte dat ze hem snel kon vertellen wat er aan de hand was. Als hij iets kon doen om het goed te maken, moest ze het zeggen. Ten slotte hoopte hij dat ze snel zou bellen, want hij was benieuwd naar wat ze voor leuke dingen te melden had.

Meteen nadat hij de mail verstuurd had, kwam er een andere mail binnen en hij voelde dat hij warm werd van het zien van de afzender. Het was een kort mailtje van Sem en dat deed hem als opa ontzettend goed. Vaak vonden jongens van zijn leeftijd het belachelijk met je ouders, laat staan grootouders, om te gaan, maar Sem mailde hem nu zeer regelmatig korte berichtjes.

Alicia liet 's avonds de drie mails aan André zien. De eerste van haar vader, haar reactie erop en haar vaders antwoord daar weer op. Hij las de mails aandachtig door en knikte. 'Je vader heeft gelijk. Ik ben ook trots op je, dat je zo eerlijk gezegd hebt dat hij niet hoeft te komen. Maar nu moet je hem binnenkort wel proberen duidelijk te maken waarom niet.'

'Dat snap ik, maar zo ver ben ik nog niet. Het gaat eigenlijk prima met me. Ik voel me veel beter dan ooit. Ik voel me zelfs een ander mens. Gisteren ontdekte ik dat ik de hele dag nog niet aan mamma gedacht had en dat ik zelfs vergeten was dat ik boos op pap was. Maar zodra ik weer aan hem denk, gaat het mis. Lucille zei dat ik mijn boosheid om moet buigen in positieve energie, maar ik weet niet hoe dat moet. Eigenlijk wil ik ook niet boos op hem zijn. Ik hou van hem en ik mis hem vreselijk, maar ik dacht: als hij hier echt voor mijn neus staat, dan begin ik misschien te slaan of te schoppen. Ik voelde alle boosheid van de afgelopen maanden weer boven komen.'

'Slaan of schoppen?'

Ze knikte aarzelend en was even stil, maar reageerde toen toch: 'Vroeger, toen ik klein was, sloeg en schopte ik vaak als ik niet kreeg wat ik wilde. Zo'n gevoel was het. Alsof ik in de supermarkt was en geen dropjes mocht. Dan ging ik ook slaan en schoppen. Ja, toen was ik nog heel klein, hoor. Maar zoiets voelde ik nu ook en ik was bang dat ik dat echt zou gaan doen en daarom heb ik gezegd dat hij beter nog niet kon komen.'

'Mamma? Mijn buik doet zeer!'

'Robbie!' Alicia vloog geërgerd overeind. 'Wat ben je vervelend vanavond.' Ze keerde zich naar André: 'Hij wilde ook al niet naar bed en nu komt meneer er dus gewoon weer uit.' Ze liep op haar zoontje af en pakte hem bij de arm. 'Naar bed, jij! Je moet slapen.'

'Mijn buik doet zeer. Ik moet krabben!'

Het drong tot haar door dat dit wel een erg vreemde opmerking was. 'Krabben?' Ze boog zich voorover en trok zijn pyjamajasje omhoog. Ook André kwam kijken, want hij vond het al net zo vreemd klinken.

'Zie je dat?' vroeg ze verrast aan haar man.

'Ja, wat is dat?'

'Dat moeten de waterpokken zijn.'

'Heerst dat?' vroeg André bezorgd.

'Ja, toevallig heb ik vanmorgen gehoord dat Laurens ook waterpokken heeft.'

'Helemaal niet. Laurens is ziek en ligt in bed,' protesteerde Robbie.

'Jij ook, jij bent ook ziek. Kom, mamma geeft je een paracetamolletje en een glas water.'

'Ik wil op de bank liggen!' zei Robbie, die zijn kans schoon zag weer eens verwend te worden.

'Dat mag,' zei Alicia tot verbazing van zowel Robbie als André. 'Kom maar.'

'Moeten we de dokter niet bellen?' vroeg André.

'Nee, alleen als hij koorts krijgt, zei Laurens' moeder. Het is een ongevaarlijk ziekte, die vanzelf weer overgaat. Behalve dus als hij koorts krijgt. En hij mag eigenlijk niet krabben. Ik zal morgen meteen een mentholgel kopen. Tenminste dat krijgt Laurens ook.'

'Het lijkt me beter dat ik dat koop, dan kun jij bij hem blijven. Hij kan vast morgen niet naar school.'

'Graag.' Ze liep op Robbie af die op de bank was gaan zitten. 'Wil je wel water of heb je liever sinaasappelsap?'

'Appelsap, wil ik.'

'Goed, jongen, krijg je dat.'

Zijn ogen glunderden. 'Nog liever cola.'

André schoot in de lach. 'Boef. Jij denkt dat je alles mag als je ziek bent, maar zo werkt het niet. Je krijgt appelsap en geen cola. Mag ik bij je komen zitten?'

Alicia kwam al snel terug met het glas, maar ze bleef lachend staan.

'Hoe heb je dat gedaan?' fluisterde ze, terwijl ze vertederd naar de slapende jongen keek.

'Gewoon over zijn bolletje geaaid, dat vindt hij lekker.'

Ze zette het glas op de salontafel. 'Weet je, het klinkt misschien stom, maar ik denk dat ik pap ga bellen. Ik durf niet goed, maar ik heb hem beloofd binnenkort eens te bellen. De waterpokken zijn daar een heel goede reden voor en dat maakt het gesprek misschien iets gemakkelijker.'

André glimlachte. 'Dat heb je best slim bekeken, ja, maar ga dan boven zitten, zodat Robbie het niet hoort.'

Boven hoorde ze echter gezucht en gesteun en toen ze om het hoekje van de slaapkamerdeur van de meiden keek, zag ze dat Else klaarwakker was en haar met grote ogen aankeek. 'Alles doet pijn,' zei ze boos.

'Nee, toch,' zei Alicia. 'Jij ook al?' Ze liep op haar af. 'Mag ik je buik eens zien?' Else trok haar nachthemd op en keek geschrokken naar de rare vlekken op haar buik. 'Wat is dat, mamma?'

'Je hebt waterpokken, meisje. Dat is niet leuk, want dat jeukt, maar het is gelukkig ook niet erg. Over een paar dagen is het weer over.'

'Het jeukt echt.'

'Dat geloof ik meteen, maar je moet proberen niet te krabben. Robbie heeft ze ook. Hij ligt te slapen op de bank in de kamer.'

Van bellen kwam die avond niets meer. André besloot meteen maar naar de apotheek te gaan. Dan hadden ze die mentholgel tenminste in huis. De volgende dag bleek ook Nina besmet te zijn geraakt.

Het werden een paar rare dagen, maar alhoewel Alicia van de ene patiënt naar de andere sjouwde, vond ze het toch gezellig. Alles was anders. Ze stofte en stofzuigde niet, zoals ze normaal elke dag deed, omdat ze dat te onrustig vond voor de kinderen. Ze hoefde ook niet op de klok te kijken omdat ze niet naar school gingen. Het gaf een soort van vakantiegevoel, waardoor ze zich prettiger voelde dan anders. Ze deed soms een kort spelletje met een van de kinderen, keek met hen naar een tekenfilm en vond zelfs af en toe even tijd om er een paar Franse woorden in te stampen.

Ze ging wel naar haar werk, omdat haar schoonmoeder daarop aandrong. Die wilde heel graag op de zieke kinderen passen. Had ze eindelijk het gevoel echt eens wat te kunnen doen.

Robbie knapte als eerste op en begon plotseling weer heel ondeugende streken uit te halen, maar Alicia kon er beter mee overweg dan ooit. Ze was veel rustiger dan eerst en ze ontdekte dat ze zich echt prettiger voelde, niet meer gehaast of opgejaagd, niet meer boos vanbinnen en ook de pijn om haar moeder was wat afgezakt. Op de een of andere manier hadden deze rare dagen haar eindelijk de ontspanning bezorgd die ze al maanden nodig had.

Pas een week nadat ze haar mail had verstuurd, belde ze haar vader.

'Hoi pap, hier ben ik dan eindelijk en ik wil meteen mijn excuses aanbieden dat ik niet eerder gebeld heb, maar Robbie, Else én Nina hadden de waterpokken en lagen ziek in bed of op de bank.'

'Wat afschuwelijk, meisje.'

'Nou ja, meer lastig dan afschuwelijk. Vooral Robbie kon er niet van afblijven en dat moest wel, anders zit ie de rest van zijn leven met littekens. Dus er moest veel gesmeerd worden met menthol om de jeuk minder te maken.'

'En nu?'

'Nu is alles goed. Ze hebben geen koorts gekregen, dus geen complicaties. Ze zijn weer naar school en voelen zich prima. Maar dat is wel de reden waarom ik niet eerder gebeld of gemaild heb. Je weet maar nooit met waterpokken. Het komt voor dat er complicaties optreden en ik wilde je niet ongerust maken.'

Loet schudde zijn hoofd. Juist doordat je niet belde, was ik ongerust, dacht hij, maar hij zei het niet. Hij was veel te blij dat ze eindelijk weer eens contact opnam. Dat wilde hij niet verknallen door een opmerking te maken die verwijtend over kon komen. Vooral niet nu ze zo goed klonk. Toch maakte het hem ook verdrietig. Dat ze hem niet op de hoogte had willen brengen van de ziekte van zijn kleinkinderen. Dan had hij ze bijvoorbeeld een kaartje kunnen sturen en zijn medeleven kunnen tonen. Het contact tussen hem en Alicia leek totaal kapot. 'Fijn om te horen, Alicia, dat ze weer zijn opgeknapt.'

'Ja, een hele opluchting. Aan de andere kant vind ik het ook wel een beetje jammer dat alles weer normaal is. Ik moest wel veel sjouwen met drinken en eten en gel en natte washandjes, maar toch was het gezellig in huis. Ze lagen soms met zijn drieën in de kamer heerlijk naar een tekenfilm te kijken en dan zat ik mijn huiswerk te maken.'

'Huiswerk?'

'Ja, dat moet ik je nog vertellen. Ik volg een cursus.'

'Wat leuk, zeg.' Loet was verrast. Alicia die iets deed buiten het gezin om. Dit klonk hem als muziek in de oren.

'Ja, echt heel leuk. Ik ga samen met Lucille. Ze is al jaren een collega van me, maar tegenwoordig zijn we vriendinnen. Ze vroeg me eerst mee te gaan stappen en dat heb ik gedaan. Het was echt lang geleden dat ik zo'n lol gehad had. Ik voelde me even helemaal vrij van alle verplichtingen. Gewoon een jonge vrouw die nergens aan vastzat, die alleen maar plezier hoefde te maken en zich geen zorgen hoefde te maken over de kinderen en het huishouden.' Ze sloot haar mond abrupt. Dit had ze helemaal niet willen zeggen. Ze was van plan geweest het gesprek op de vlakte te houden. Niet te diep te gaan. Ze wilde immers geen nauwe band meer met haar vader omdat ze boos op hem was. Maar nu ze eindelijk zijn stem weer hoorde, viel ze in de val. De val van vertrouwelijkheid die er natuurlijk altijd tussen haar vader en haar geweest was.

'Leuk, joh. En wat vond André daarvan?'

'Die vond het meteen prima. Hij gaat weer naar basketbal. Daar zat hij vroeger ook op.'

Loet fronste zijn wenkbrauwen. Hij wist nog goed hoe fel Alicia daarop tegen was geweest na de geboorte van Else. Dit was geweldig nieuws! 'Elke week?' vroeg hij voor de zekerheid.

'Tuurlijk, anders heeft het geen zin. En heel af en toe op zaterdag een toernooitje. Ze doen niet mee aan een competitie. Het is puur recreatief.'

'En ga jij ook elke week stappen?'

'Nee, pap. Lucille en haar vriendinnen gaan om de veertien dagen, maar dat doe ik niet. Ik heb besloten dat een keer per maand genoeg is. Het moet wel leuk blijven.'

'En eh ... die cursus die je volgt? Wat is dat voor iets?'

'Oh, dat is een cursus Frans.'

Loet wist niet wat hij hoorde. Frans? Was ze echt bezig Frans te leren? Waar was dat goed voor? Maar hij kreeg geen kans iets te vragen, want Alicia ratelde verder: 'Het is zo leuk, pap. De groep bestaat uit ongeveer twintig mensen. De jongste is drieëntwintig en de oudste vijfentachtig! Maar ze zijn allemaal heel gemotiveerd en dat maakt de lessen echt interessant. En ik vind het ook heel leuk dat ik huiswerk heb. Ik voel me gewoon groeien als ik aan tafel zit met mijn boek en schrift. Plotseling heb ik iets te doen wat interessant is.' Oeps, dacht ze, nu vertel ik alweer te veel. Dit wilde ik niet kwijt. Het gaat pap niets aan hoeveel plezier ik beleef aan het huiswerk, hoe ik ervan geniet om mijn spulletjes tevoorschijn te halen en aan de tafel te gaan zitten. Hoe lang het trouwens daardoor alweer geleden is dat ik verdrietig in mamma's stoel zat. Dat ik door het huiswerk minder aan mamma denk en minder aan hem en dat ik zelfs trots ben dat ik naast mijn gezin en het huishouden iets anders doe. Dat ik het gevoel heb eindelijk eens iets te presteren! Ze zuchtte. 'Soms gaan we na de les nog ergens wat drinken met een groepje,' probeerde ze zijn aandacht af te leiden van haar ontboezeming.

'Het klinkt erg leuk allemaal,' zei Loet voorzichtig. Hij had goed gehoord dat ze opeens op de rem trapte en waarschijnlijk spijt had van haar enthousiasme naar hem toe. Maar waarom? Had ze zo'n hekel aan hem gekregen doordat hij verhuisd was? Maar waarom zat ze dan op Franse les? 'Waarom Frans, Alicia?' Hij kon het niet laten het te vragen.

'O, dat is puur toeval,' zei ze onschuldig. 'Het had net zo goed Russisch of Portugees kunnen zijn. Ik zei toch dat Lucille tegenwoordig een vriendin van me is en ze moedigde me aan iets te gaan doen wat ik leuk vond. Iets naast gezin en huishouden. Ik wist niets te bedenken.' Ze stopte abrupt. Nu vertelde ze hem alweer dingen die hij niet hoefde te weten. 'Nou ja, zij zat op Frans. Ze zou aan het derde jaar beginnen en omdat ik ook Frans gehad heb op school, kon ik zonder al te grote problemen bij haar instappen. Als ze Russisch had gedaan, had ik natuurlijk niet mee kunnen komen, maar Frans toevallig wel. Vandaar.'

Loet bleef zijn hoofd schudden. Dit verhaal klonk zo raar. Hij wist immers hoe ze erop tegen was dat hij naar Frankrijk vertrokken was. Waarom ging ze dan uitgerekend Frans leren. Echt alleen maar omdat Lucille dat ook deed? Maar hij durfde toch niet te zeggen dat het handig was voor als ze hem ooit eens kwam bezoeken. Het gesprek maakte hem verdrietig. Al klonk ze opgewekt en beter dan ooit eigenlijk, hij voelde zich voortdurend opzij geschoven. Ze vertelde wel over haar leven, maar liet hem tegelijk voelen dat het hem niets aanging.

'Hoe is het met jou, pap?'

De vraag klonk vlak. Alsof ze hoopte dat het antwoord niet al te uitgebreid zou zijn. Maar hij deed alsof hij de ondertoon niet hoorde. 'Met mij is het goed. We hebben sinds gisteren gasten in het vakantiehuisje dat we gebouwd hebben. Dat is wel even wennen. Eerst hadden we de grote tuin voor onszelf, nu lopen er zomaar mensen in. Of er staat opeens iemand in de keuken om te vragen of we nog eieren over hebben. Maar het zijn aardige mensen. We hebben zelfs afgesproken dat ze morgen meegaan naar ons wekelijkse jeu-de-boulesmiddagje.'

Alicia zweeg. Ze wist niets terug te zeggen. Ze wist dat het onbeleefd was, maar ze wilde eigenlijk niets weten van zijn nieuwe leven, waarin voor haar geen plek meer was. Althans, zo voelde dat. Of nee, zo had ze dat zelf bedacht. Als pap zo nodig weg moest, hoorde zij blijkbaar niet meer bij hem. Anders was hij hier wel gebleven. 'Pap, ik ga ophangen. Ik moet nog stofzuigen en dan de kinderen weer van school halen.'

'Oké, erg leuk dat je belde. Ik ben blij dat ik je stem weer gehoord heb. Dag, meisje.'

Maar in plaats van stof te zuigen, bleef Alicia verward zitten. Ook Loet kwam niet kwiek overeind om weer aan de slag te gaan, maar bleef diep in gedachten verzonken zitten. Eigenlijk dachten ze beiden hetzelfde: hoe was het toch mogelijk dat hun contact zo stroef geworden was en ook: hoe was dit weer recht te breien?

Hoewel Alicia zich ook afvroeg of ze dat nog wel wilde. Ze wist dat ze het hem nog steeds kwalijk nam dat hij haar in de steek had gelaten. Al moest ze tegelijk toegeven dat ze nooit naar Lucille was gegaan als pap niet geëmigreerd was. En zonder Lucille was ze nooit gaan stappen of aan een cursus begonnen en die twee dingen maakten haar leven een stuk rijker. Zonder paps vertrek was André ook nooit meer naar basketbal gegaan en het was duidelijk dat hij daar ontzettend van genoot. Ze zagen elkaar weliswaar wat minder nu, maar ze waren allebei een stuk opgewekter en hadden elkaar ook weer eens wat anders dan normaal te vertellen. Maar vergoedde dit het gemis van haar vader?

Voor Loet was het wel zijn grootste wens dat het weer goed werd tussen Alicia en hem. Hij had gekozen voor zijn eigen leven en zijn eigen wensen en daarbij gedacht dat het goed voor Alicia zou zijn, dat ze eindelijk zou leren zelfstandiger te worden. Dat laatste leek ook wel te kloppen. Het was verrassend dat ze ging stappen, een cursus volgde en dat André weer naar basketbal ging. Het waren precies de dingen die hem lieten zien dat ze inderdaad zelfstandiger geworden was. Maar hij had tegelijk het gevoel dat hij haar voorgoed kwijt was. En was zijn jeugddroom om in Frankrijk te wonen dat waard geweest? Hij betwijfelde het en voelde zich opeens jaren ouder en doodmoe.

16

Somber staarde Liselotte naar buiten. Het waaide hard en van zon was geen sprake. Er begonnen zelfs al blaadjes van de bomen te vallen. Het was duidelijk dat de zomer voorbij was en de herfst in aantocht. Dat kon ook wel kloppen want de volgende week zouden de kinderen herfstvakantie hebben. Toch was het niet het weer dat Liselotte somber maakte. Ze kon wel tegen een stootje. Dat moest ook als je in Zeeland woonde, waar het vaak flink kon waaien. Nee, het was het telefoongesprek met haar vader dat ze net gevoerd had, dat haar in deze stemming gebracht had. Hij klonk namelijk helemaal niet goed en dat deed haar enorm verdriet. Ze had het zo geweldig gevonden dat hij zijn jeugddroom ging verwezenlijken en toen ze van de zomer bij hem was, had ze zich verwonderd over de verandering die de verhuizing bij hem teweeg had gebracht. Hij leek jaren jonger en gedroeg zich ook zo. Sterk, energiek, haast onoverwinnelijk. Daarvan leek nu niets meer over en de reden was haar zus: Alicia. Het ergste vond ze dat hij aarzelend gezegd had dat hij zich afvroeg of hij niet beter terug kon gaan naar Eindhoven. Ze had meteen heftig geprotesteerd. Liselotte was het daar helemaal niet mee eens. 'Dan krijgt Alicia uiteindelijk toch weer haar zin,' had ze gezegd. Net als altijd, had ze erachteraan gedacht. Net als dat kleine meisje dat een mooie pop in de etalage zag en het op een krijsen zette tot ze de pop kreeg. Alicia was nu groot en ze krijste niet meer, maar het lukte haar toch haar zin door te drijven. En dat was toch belachelijk? Het was juist geweldig om een vader in Frankrijk te hebben, vond ze zelf. Ze hadden het fantastisch bij hem gehad en ze wist zeker dat ze vaker naar hem toe zouden gaan. Zelfs Sem vond het leuk dat zijn opa met hem mailde en dat was vast nooit gebeurd als hij in Eindhoven was gebleven. Met een vader in Frankrijk kon zij gewoon haar eigen gang gaan en had ze een heerlijk adres om eens naartoe te gaan. Maar goed, ze moest toegeven dat ze er ook niet op had zitten wachten in dezelfde straat als haar vader te wonen. Ze had altijd al een zelfstandig leven willen leiden en geleid. Zo compleet anders dan Alicia.

Het had haar wel goed gedaan toen haar vader haar vertelde dat Alicia af en toe ging stappen en dat André weer op basketbal zat en helemaal perplex was ze geweest van het feit dat Alicia op Franse les zat. Maar ondanks dat ze dus plotseling dingen deed die niets met haar gezin en huishouden te maken hadden, lukte het haar toch nog haar vader te doen twijfelen over zijn verhuizing en hem misschien zelfs terug te laten komen.

'Ik heb er nooit spijt van gehad dat ik niet naar Frankrijk kon, omdat ik onverwachts moest trouwen en een heerlijke dochter kreeg. Nu moet ik misschien maar terug, om mijn tweede dochter niet te verliezen,' had hij gezegd.

Dat mag niet gebeuren, dacht ze. Daar moet ik een stokje voor steken.

's Avonds begon ze er met Rutger over. 'Je was toch van plan volgende week een paar dagen vrij te nemen als de kinderen herfstvakantie hebben?'

'Klopt,' zei hij. 'Wil je naar Frankrijk?'

Ze keek hem verrast aan. 'Leuk idee, zeg, maar dat was toch niet wat ik wilde zeggen. Ik moet met Alicia praten, maar ik ben bang dat ze dat niet wil. Daarom dacht ik dat het beter was dat in een ontspannen sfeer te doen. Of misschien zelfs wel waar jij en André bij zijn. Dat weet ik nog niet. Ligt aan haar reactie. Eerst wilde ik ze hier uitnodigen, maar dat lijkt me toch niet echt geweldig. Twee volwassenen en drie kinderen hierbij in, maakt het misschien toch wat te benauwd. En mezelf bij hen uitnodigen is precies hetzelfde. Zo veel ruimte hebben zij ook niet.'

'Dus samen naar een huisje?'

Ze keek hem dankbaar aan dat hij haar zo snel doorhad en niet meteen al met bezwaren kwam. 'Ik weet niet of er op zo'n korte termijn nog iets te vinden is en ik weet ook niet of Sem en Minke dat leuk vinden, maar ze hebben het heel plezierig gehad samen met opa en ik vind het ook wel leuk als onze kinderen wat geregelder contact met elkaar hebben.'

Rutger knikte. 'Vooral omdat ik geen broers of zussen heb en dus ook geen nichtjes of neefjes.'

'Precies.'

'Bel haar!' moedigde Rutger haar aan.

'Moet ik het niet eerst met Sem en Minke overleggen? Het is hun herfstvakantie.'

'Wat moet je overleggen?' vroeg Sem die de huiskamer in kwam.

'Hé, ben je er weer?' vroeg Liselotte opgewekt. 'Was het leuk bij Dolf?'

Sem bloosde overduidelijk en Liselotte keek hem verbaasd aan, maar ze vroeg niets. Ze wist uit ervaring dat dat verkeerd kon lopen, dus glimlachte ze hem toe. 'We zaten erover te denken om in de herfstvakantie iets te doen samen met tante Alicia en oom André.'

'Ik had gehoopt dat we naar opa zouden gaan,' zei hij teleurgesteld.

Liselotte knikte aarzelend. 'Dat lijkt mij ook best leuk, maar ...' Ze kon hem toch niet vertellen dat het een smoes was om met Alicia te praten. Dat ging hem niets aan.

'Weet je wat?' hielp Rutger haar. 'We kunnen wel vragen of we met Kerst naar opa toe kunnen. Dan heb ik ook een aantal dagen vrij.'

'Echt niet,' riep Sem tot Liselottes verbazing uit. 'Dan is het veel te koud. Het zal nu al wel koud zijn in de caravan, maar met Kerst helemaal.'

'Maar dat was ook niet de bedoeling,' riep Rutger lachend uit. 'Dat hoefde zelfs van de zomer niet. Opa had ons een paar logeerkamers in het huis aangeboden, maar wij wilden niet te lastig zijn, daarom kozen wij voor onze caravan. Maar als we echt met Kerst gaan, dan wel bij hem in huis, hoor.'

'Nou, dan is het goed,' zei Sem lachend. 'Ik heb ook wel zin om Robbie weer eens te zien.'

'Maar we nemen Dolf niet mee, hoor,' zei Rutger met een plagerig gezicht.

Opnieuw bloosde Sem en hij liep snel de kamer uit.

'Wat is er met hem?' Liselotte keek haar man vragend aan.

'Dus dat zag je ook? Ja, vreemde reactie. Hij zou toch niet verliefd zijn op Dolf?'

'Geen idee, maar het zou me wel erg verbazen, want ik dacht toch echt dat hij op meisjes viel.'

Rutger knikte. 'Die indruk heb ik ook altijd gehad, of zou dat komen omdat ik op meisjes val?' Hij glimlachte. 'Ik bedoel: ga ik er automatisch van uit dat hij ook op meisjes valt omdat ik dat doe?'

'Ik weet het niet, maar we moeten hem er maar niet meer mee plagen, want als het echt zo is, vind ik dat hij het wel moet durven zeggen tegen ons.'

'Helemaal mee eens, maar aan de andere kant: als hij verliefd is, is het wel vreemd dat hij zowel in de herfstvakantie als de kerstvakantie met ons weg wil. Verliefde kinderen willen dan juist niet weg, omdat ze dicht bij hun onderwerp van verliefdheid willen zijn.'

Liselotte haalde haar schouders op en lachte. 'Ik weet echt even niets te zeggen. Ik ben gewoon verbaasd, eigenlijk overrompeld. Je hebt gelijk, ik ben er nooit van uitgegaan. Ik denk inderdaad dat het een soort van automatisme is. Ik ben hetero, dus hij ook. We moeten stiekem maar eens beter opletten. In elk geval ga ik nu Alicia bellen, want het is drie tegen een, voor het geval Minke niet mee wil en dan heeft zij dus pech.'

'Wil je ondertussen koffie? Dan zet ik die even.'

'Lekker, Rutger.' Liselotte stond op en liep naar de tafel waar de draadloze telefoon stond. Terwijl ze verbinding zocht met haar zus, liep ze naar het raam, maar buiten was het inmiddels donker geworden. Ze zag weinig, hoorde wel de wind die gierde. 'Hoi zus, met mij,' zei ze opgewekt nadat Alicia had opgenomen. 'Hoe is het?'

'Heel best en bij jullie?'

'Ja, hier ook alles goed.' Zo, die plichtplegingen hebben we gehad, dacht Liselotte cynisch, maar wist dat ze er zelf mee begonnen was.

'Zeg, moet je horen. Rutger en ik hadden een plannetje voor volgende week. Jouw kinderen hebben dan toch ook herfstvakantie?'

'Ja, natuurlijk, we wonen in het zelfde deel van Nederland.'

'En gaan jullie weg? Hebben jullie plannen?'

'Nee, Liselotte, dat is te duur.'

'O.' Liselotte wist opeens niets meer te zeggen. Dat antwoord had ze totaal niet verwacht. En als weggaan voor hen te duur was, kon ze hen onmogelijk meevragen naar een huisje. Hoewel ...

'Ben je er nog?' onderbrak Alicia haar gedachten. 'Of mag ik zoiets niet zeggen.'

'Natuurlijk mag je dat zeggen. Fijn zelfs. Ik had er geen idee van dat jullie wat krap zaten.'

'We hebben geld genoeg om van te leven, maar juist in de herfstvakantie zijn huisjes of kamers extra duur en dat hebben we er niet voor over. Dan kopen we liever wat extra's voor de kinderen.'

'Je hebt helemaal gelijk, maar stel nou dat je iets aangeboden wordt?'

'Wat bedoel je?' Alicia klonk opeens een stuk afstandelijker. Wilde Liselotte haar vragen mee naar Frankrijk te gaan? Want daar konden ze immers gratis verblijven.

'Wij wilden proberen nog ergens een huisje te huren en jullie uitnodigen bij ons in het huisje te komen.'

'Dat moet dan wel een heel groot huis zijn,' vond Alicia.

'Dat is zo.' Liselotte merkte dat ze zichzelf vastpraatte, want huisjes voor twee gezinnen waren amper te krijgen en als ze er al waren zouden die helemaal duur zijn. Dat zou Alicia niet aannemen en waarschijnlijk zou Rutger dat ook niet op prijs stellen. Ze zuchtte onhoorbaar. 'Het is zo: Rutger en ik hadden zin om een paar dagen met jullie door te brengen. Ons huis is daarvoor te klein en jullie huis ook. Dus wilde ik ergens iets huren en ik vind het totaal geen probleem om alle huur alleen te betalen. Ik had gewoon heel erg veel zin om met onze twee gezinnen iets te doen. Ik wil je weer eens zien en niet alleen voor een kopje koffie, maar gewoon lekker lang en gezellig. Spelletje doen, filmpje kijken. Dat soort dingen.'

'Sjonge, meen je dat?' Alicia klonk nu blij verrast. 'Dat lijkt me echt wel wat. Ja, Else en Nina vragen ook vaak genoeg naar Sem en Minke, dus die zullen het zeker ook leuk vinden. Maar waar vind je nog iets voor twee gezinnen? Je hebt het wel over volgende week! Zeg, Liselotte, wacht even. Ik bel je zo terug.'

Het volgende wat Liselotte hoorde was de ingesprekstoon. Verward liep ze naar Rutger die juist de keuken uit kwam met twee koppen koffie.

'En?' vroeg hij. 'Erg lang duurde het gesprek niet.'

'Nee, ze gooide ineens de hoorn erop en zei dat ze zo terug zou bellen. Ik snap er iets van.'

'Dan moet je maar even rustig afwachten,' vond Rutger lachend. 'Heb je er nog iets lekkers bij?'

'Ja, de bakker had weer van die zelfgemaakte gevulde koeken. Die kon ik niet laten liggen.'

'En dat zeg je nu pas!' riep hij uit.

'Logisch, anders waren ze al op geweest,' zei Liselotte grinnikend.

'Die lust ik ook,' zei Minke, die op dat moment ook weer thuiskwam.

'Eerst vertellen of je je huiswerk gemaakt hebt,' vond Liselotte.

'Nou zeg, daarvoor ging ik toch naar Saskia toe!'

'Dat zegt niks,' zei Rutger.

'Dus jullie vertrouwen me niet?' Minke liep op het zakje van de koeken af en stak haar hand vast uit. 'Sem is verliefd,' zei ze en greep een koek. Haar opmerking had succes. Haar beide ouders vergaten op slag dat ze meer informatie over haar huiswerk wilden.

'O ja?' Liselotte probeerde zo onschuldig mogelijk te klinken, maar ze brandde van nieuwsgierigheid om meer te weten te komen.

'Ja, je denkt toch niet dat Sem naar Dolf toe gaat omdat hij hem zo leuk vindt?'

Die opmerking deed Liselottes wenkbrauwen omhoog schieten. Het was waar. Sem was nooit echt gek op Dolf geweest, die al jaren bij hem in de klas zat, maar dat kwam misschien omdat ze allebei niet wisten dat ze op jongens vielen. Of eh? Wat bedoelde ze?

Minke schaterde het uit, terwijl ze op een handige manier de koek in de zak van haar ruime fleecejack liet verdwijnen. 'Jullie gezichten waren een foto waard, maar ik had jullie intelligenter verwacht. Dolf heeft een heel leuke zus!' Lachend liep ze snel door de kamer naar de gang, de trap op. Pas veel later ontdekte Liselotte dat er een koek verdwenen was. Heel uitgekookt, dacht ze lachend. Minke had haar mooi te pakken, maar de informatie was de koek meer dan waard geweest.

Een halfuur later belde Alicia terug. 'Sorry dat het zo lang duurde, maar ik heb een superidee. Luister: ik was het even vergeten, maar ik kan volgende week helemaal niet weg. Zelfs niet als jullie alles zouden betalen. Ik heb Frans en Leo beloofd voor hun kat te zorgen. Ze zijn allebei lerares en hebben dus allebei vrij. Ze gaan een week weg, van zondag tot zondag.'

'Heb jij dan contact met hen?' vroeg Liselotte verbaasd. Ze had

Alicia nooit meer over de nieuwe bewoners van hun ouderlijk huis horen praten.

'Ach, soms. Ik zie ze weleens op straat en dan maken we een praatje. We zijn ook ooit eens bij hen op bezoek geweest, maar ik voelde me er niet op mijn gemak. Dat kwam doordat het voor mij nog steeds het huis van mamma en pap is. Ze vroegen met opzet of ik de planten en de kat wilde verzorgen. Frans zei: "Dan kun je nog eens in je eentje door het huis lopen. Misschien doet dat je wel goed." En ik dacht dat ze daar wel gelijk in kon hebben. Maar nu is het anders. Ik ben net bij hen geweest en ...' Alicia's stem klonk steeds opgetogener. 'Jullie mogen in hun huis als ze weg zijn. Je moet alleen voor eigen beddengoed zorgen en ze willen graag dat je gas en stroom betaalt, maar ze vinden het prima! Natuurlijk krijg je mijn beddengoed. Ik zal wel zorgen dat de bedden keurig schoon zijn als jullie komen. Minke kan dan in mijn vroegere slaapkamer slapen en Sem in die van jou. Nou, hoe vind je dat?'

'Ik ben helemaal perplex, maar weet je, Alicia, het lijkt me echt een schitterend idee!'

'Ja?'

'Ja, echt. Ik heb wel weer eens zin in een paar dagen Eindhoven. Lekker middagje winkelen. Ben benieuwd of ik de binnenstad nog herken. Misschien ook even langs een vroegere vriendin met wie ik nog wel contact heb en vooral lekker veel bij jou koffiedrinken en kletsen. De kinderen vermaken zich ook wel en, eh, denk je dat Frans en Leo een internetverbinding hebben? Dan kan Rutger z'n laptop meenemen en misschien wat werk doen, wat hij altijd graag doet als hij op vakantie is.'

'Ik kan me niet voorstellen dat ze die niet hebben, maar dat vraag ik nog. Anders kan Rutger hier wel terecht. Dus dit is afgesproken?'

'Wacht even.' Liselotte liep naar Rutger toe en vertelde snel wat Alicia voorgesteld had. Hij vond het een prima idee.

En zo kwam het dat Liselotte, Rutger, Sem en Minke vijf dagen later de straat van Liselottes ouderlijk huis inreden. Alicia zag ze komen en riep de anderen. Samen met Else, Nina en Robbie rende ze naar buiten. André kwam er lachend achteraan.

'Wat leuk dat je er bent,' riep Alicia. 'Wil je eerste de auto uitladen of wil je eerst koffie met gebak?'

'Hm, gebak,' zei Liselotte, maar de definitieve beslissing werd voor haar genomen, want Sem en Minke renden meteen naar binnen. Hun ouders volgden lachend.

'Kijk, tante Lies!' riep Else trots, terwijl ze een roodharige poes aan haar voorpootjes omhoogtilde.

Alicia schoot toe en pakte de poes van haar af. 'Je mag haar best optillen, maar niet aan haar pootjes, joh. Straks breken ze.'

'Frans zegt dat een kat zeven levens heeft.'

'Ja, maar zeven levens met een gebroken pootje is niet leuk,' vond Alicia en deed voor hoe Else de poes op moest tillen.

'Wel de deuren dichthouden,' zei Alicia vermanend. Ze draaide zich naar Liselotte. 'Die is van de buren. Ze mocht wel mee hiernaartoe, maar alleen als wij ervoor zorgden dat ze niet kon ontsnappen. Het leek me beter dat ze hier was terwijl jullie de auto uitladen, maar straks moet ze weer terug.'

Alicia schonk de koffie in. Voor de kinderen zette ze glaasjes drinken neer, al waren ze met zijn allen naar boven vertrokken. Op het aanrecht stond al een serie schoteltjes met gebakjes. Rutger en André kozen er elk een uit en verdwenen naar de zithoek. Alicia hoorde Rutger nog net zeggen: 'Dus jij zit tegenwoordig op basketbal. Is dat ook iets voor mij? Ik beweeg veel te weinig.'

Eerst glimlachte ze erom, tot het tot haar doordrong dat het vreemd was dat Rutger dat wist.

Liselotte ging met haar kopje en gebakje bij de tafel zitten en Alicia schoof bij haar aan, maar haar ogen stonden opeens niet vrolijk meer. 'Hoe weet Rutger dat André weer basketbalt?'

'Is dat niet zo dan?'

'Jawel, maar dat had ik je nog niet verteld. Zit jij achter mijn rug om met pap te praten?'

'Ja, dat klopt,' zei Liselotte zo opgewekt mogelijk. Ze zag de bui al hangen en was bang dat ze zo weer in konden stappen en terugrijden. Alicia's ogen stonden vrij fel. Liselotte besloot zo open en eerlijk mogelijk te zijn. 'Pa vertelde dat. Hij zei ook dat jij een cursus volgt. Hartstikke leuk, zeg. Gaat dat goed? Heb je veel huiswerk?'

'Ik dacht dat we het gezellig zouden maken, maar jij zit dus over mij te kletsen met pap.'

'Te kletsen? Pa was trots op jou. Hij vond het geweldig dat je ging leren en ook dat je ging stappen. Hij vertelde het alleen maar omdat hij het zo fantastisch vond.'

'Dat zal best,' zei Alicia.

Liselotte schoof haar kopje en het schoteltje opzij en stond op. 'Zo hou ik het hier geen week vol. Nog geen halfuur.' Ze keerde zich naar Rutger en vroeg om de autosleutels. 'Ik ga maar even een rondje rijden of ergens een wandeling maken, want hier heb ik geen zin in.'

Rutger trok zijn wenkbrauwen op, maar hij vroeg niets, haalde de sleutels uit zijn broekzak en stak ze haar toe. André keek ontdaan en opende zijn mond om iets te vragen, maar sloot hem weer.

Met grote stappen beende Liselotte de kamer door en verdween door de voordeur de straat op, waar ze met een verbeten gezicht achter het stuur van hun auto ging zitten. Ze zag dat haar hand trilde toen ze de sleutel in het contact wilde stoppen en besloot nog niet te gaan rijden. Ze moest eerst even kalmeren, want zo kon ze nog ongelukken veroorzaken. Ze zag haar boze ogen in het achteruitkijkspiegeltje en opeens moest ze lachen. Ze leek Alicia wel. Die kon ook zo kwaad weglopen, liefst stampend op de vloer. Maar zij, Liselotte, had er net zo'n drama van gemaakt door demonstratief om de autosleutels te vragen. En waarom? Wat was er met haar aan de hand? Ze wist toch hoe Alicia kon zijn. Dat was juist de reden geweest waarom ze haar weer eens wilde ontmoeten. Maar ze was in haar eigen val gelopen. Ze was echt blij geweest toen ze haar kleine zusje weer zag en Alicia zag er bovendien erg goed uit. Ze had bijna iets zelfverzekerds over zich, waar Liselotte heel blij om was. Maar het woord pap viel nog niet of het was weer mis. Alicia! riep ze inwendig. Waarom moet het zo? Ze haalde eens diep adem en stak opnieuw het sleuteltje uit naar het slot. Deze keer ging het beter. Haar hand trilde nauwelijks nog. Ze stak de sleutel erin en wilde hem omdraaien, maar vanuit haar ooghoeken zag ze beweging. Ze keek om en staarde recht in de ogen van Alicia die door het raampje aan de passagierskant naar binnen tuurde. Aarzelend opende ze het portier en keek naar binnen. 'Mag ik naast je komen zitten?' vroeg Alicia.

Liselotte knikte, was nog te verward om iets te zeggen. Ze hoorde dat Alicia het portier sloot en startte de auto, begon te rijden. Ze kende de weg nog wel, aan het eind van de straat kon je linksaf en als je maar lang genoeg doorreed kwam je uiteindelijk bij de weilanden terecht. Zwijgend reden ze de grote wijk uit, waar Alicia woonde en waar Liselotte vroeger zelf als kind gespeeld en gelopen had. Bij een weiland stopte ze en zette de motor uit. Ze keek naar buiten, maar zag niets.

'Toen pap vertrok,' begon Alicia uit zichzelf de vertellen, 'dacht ik dat mijn hart doodging. Dat was stom, want in mijn hart woonden André en de kinderen ook. Maar ik was nog steeds kapot van mamma's overlijden en toen ging hij ook nog eens weg. Ik was bang dat ik niet verder kon leven zonder pap en dat moest ik zien te voorkomen, want Else, Nina en Robbie zijn alles voor me en ik moest er wel voor zorgen dat ze een moeder hadden. Dus mocht ik pap niet missen en daarom werd ik kwaad op hem. Zo kwaad, dat ik alles verknalde. De sfeer thuis werd steeds grimmiger, Robbie werd bang voor me, de vakantie was ongezellig. Uiteindelijk begreep ik wat er aan de hand was en dat ik eigenlijk alleen mezelf en de anderen ermee had in plaats van pap. Diep van binnen had ik gedacht: pap, als jij je eigen gang gaat, nou, dan doe ik dat ook. Ik heb je heus niet nodig, hoor! Ik wilde leren leven zonder hem en ik ging hem steeds minder bellen. Het lukte ook best, maar mijn humeur werd niet beter. Tot mijn collega Lucille me op het een en ander wees en me mee uitnam met haar vriendinnen. Daarna ging het steeds beter en beter. Thuis is het weer gezellig. André zit dus weer op basketbal, wat hij ook vreselijk leuk vindt. Ik ga eens per maand stappen en elke week naar cursus. Na mamma's overlijden heb ik me niet zo goed gevoeld als nu. Ik heb ook het gevoel dat ik volwassener ben geworden, zelfverzekerder. Het lijkt dus allemaal echt goed, alleen weet ik nog steeds niet hoe ik me tegenover pap moet gedragen. Het liefst schreeuw ik tegen hem, maar tegelijk wil ik me nog liever in zijn armen werpen. Ik kan er niet mee uit de voeten en toen ik hoorde dat jij ... Nou ja, dat hij met jou over mij praat. Het spijt me, Liselotte, het spijt me echt dat ik mezelf zo slecht kon beheersen.' Ze wendde haar hoofd naar haar zus. 'Ik denk dat ik zelf ook met pap over jou zou praten als ik me zorgen over jou zou maken, dus het was erg oneerlijk om jullie dat kwalijk te nemen.'

Liselotte glimlachte. 'Weet je, ik snap het heel goed. Meestal gaat een kind het huis uit omdat hij of zij vindt dat hij daaraan toe is. Jij bent het huis uitgegaan omdat je wilde trouwen, maar eigenlijk ben je nooit echt weggegaan. Je woonde nog steeds bij ma. Zelfs na haar overlijden nog. Toen vertrok pa en heeft jou daarmee als het ware het huis uit geschopt, terwijl je er zelf nog niet aan toe was. Je moest nog leren op eigen benen te staan en dat vond je zo eng, dat je maar kwaad werd. Dan had je een reden om dingen eventueel verkeerd te doen. Dan kon je alle schuld afschuiven op pa.'

Alicia knikte. 'Dat is zo, ja. Ik heb vaak genoeg gedacht dat het zijn schuld was als ik me niet kon beheersen en weer op de kinderen mopperde. Maar het gaat nu zo goed. Je ziet het ook aan hen. De kinderen zijn weer veel vrolijker en André zegt het ook zo vaak. Waarom is één woord dan te veel en ben ik zomaar weer terug bij af?'

'Ik denk dat daar twee redenen voor zijn,' zei Liselotte. Ze aarzelde even, maar zei toen toch wat ze dacht. 'Eigenlijk ben je dertig jaar lang kind geweest en nog maar een halfjaar volwassen. Meestal groeit een mens er langzaam naartoe, naar de volwassenheid, maar jij moest opeens een inhaalslag maken. En nu ben je volwassen, maar je bent er nog niet aan gewend. En dat is logisch toch, nadat je je zo lang kind gevoeld hebt?'

Alicia zweeg, maar Liselotte zag aan haar gezicht dat ze bezig was haar woorden te overdenken.

'De andere reden is denk ik heel eenvoudig: je mist pa vreselijk en vindt het heel rot dat je hem al bijna vijf maanden niet meer gezien hebt, maar dat durf je niet toe te geven en dat irriteert jezelf en zo draai je in kringetjes rond.'

Hun blikken ontmoetten elkaar. Liselotte zag hoe Alicia eraan toe was en plotseling trok ze haar naar zich toe en sloeg haar armen om haar heen. 'Meid,' zei ze zacht in haar haren, 'ik had toch gezegd dat je niet alleen op de wereld staat. Je had me kunnen bellen en ik was gekomen.'

Alicia huilde zachtjes en liet zich strelen door haar grote zus. Haar hoofd lag zwaar tegen Liselottes schouder aan. 'Ik schaamde me,' zei ze uiteindelijk, 'want ik weet dat ik me als een klein kind gedraag. Ik had besloten mijn eigen boontjes te doppen, maar helemaal goed lukt dat niet.'

'Volgens mij lukt dat heel best. Als puntje bij paaltje komt, heb je ons niet echt nodig. Je hebt André en je gezin en tegenwoordig ook je zelfverzekerdheid. Maar het is gewoon zo dat pa je vader is en ik je zus en zolang je naaste familie hebt, wil je nu eenmaal met hen omgaan en hen regelmatig zien. Omdat we toch eigenlijk wel binnen handbereik zijn. Als we in Amerika zouden wonen, zou je er gemakkelijker mee omgaan. Dan zou je inderdaad zeggen: die zie ik voorlopig niet meer en dan was het ook goed, want jij kunt heel prima zonder ons. Maar we zijn er en daarom verlang je naar ons. Althans ik wel naar jou. Omdat ik van je hou, omdat je mijn zus bent. Snap je?'

Alicia zuchtte en snoot haar neus. 'Pap wilde vorige maand komen en ik heb gezegd dat dat niet hoefde.'

'Zo? Dat was hard.'

Alicia keek haar zus aan. 'Wist je dat niet?'

'Nee, dat heeft hij niet verteld. Wel dat je eigenlijk niet met hem wilt bellen en mailen en dat pa daar vreselijk verdrietig over is. Alicia, hij denkt zelfs dat hij weer terug naar Eindhoven moet komen vanwege jou. En is dat wat je wilt?'

Even begonnen Alicia's ogen te glanzen, maar toen draaide ze snel haar hoofd af. Ze wilde niets liever, toch? Maar dat was dan wel heel erg egoïstisch en dat was ze haar hele leven al geweest. Als kind. Nu ze eindelijk wat volwassener was, moest ze ook dat egoïstische trekje zien kwijt te raken. 'Over acht weken is het kerstvakantie,' zei Liselotte. 'Wij denken erover om naar pa toe te gaan. Sem wil in elk geval erg graag. Niet in de caravan, maar in het huis. Pa heeft vier logeerkamers. Geen idee of ze vrij zijn, want Evert heeft natuurlijk ook kinderen, maar wat vind je ervan als we samen naar pa gaan en met zijn allen daar de kerstdagen doorbrengen?'

Alicia keek haar met grote ogen aan. 'Wil je dan nog steeds met mij op vakantie? Ik dacht dat je zo wel weer naar huis zou gaan.'

'Helemaal niet. Ik blijf de hele week. We gaan nog samen winkelen en naar de bioscoop. Zeg, onze liefde kan toch wel tegen een stootje?'

Alicia moest lachen.

'Nou, wat vind je van de kerstdagen bij pa?'

'Dat moet ik met André bespreken. Ik dacht dat het te ver rijden was voor de kinderen en dan kan hij niet naar zijn ouders.'

'Dat kan dan met oud en nieuw, toch?'

'Hm, misschien wel.'

'Zullen we teruggaan?' stelde Liselotte voor. 'Ze weten niet waar we blijven en het is allang etenstijd.'

'We zouden nog wel pannenkoeken eten,' riep Alicia geschrokken uit. 'Mijn kinderen hadden zich daar vreselijk op verheugd.'

Maar toen ze een kwartier later weer binnenkwamen, kwam de geur van gebakken pannenkoeken hen al tegemoet. Rond de tafel zaten vijf roepende kinderen en in de keuken stonden twee mannen, ieder met een schort voor en een verhit gezicht van het bakken.

17

Ongeveer op dezelfde tijd gooide Loet nog een paar stukken hout op het vuur in de houtkachel. Hij vond het eigenlijk nog steeds jammer dat ze niet voor een open haard gekozen hadden, want hij hield ervan om naar het flakkerende vuur te kijken en bij een houtkachel moest het deurtje weer dicht en zag je niets. Maar Evert had hem ervan weten te overtuigen dat een houtkachel meer warmte gaf en dat ze dat hard nodig hadden gedurende de winter in dat grote, oude huis. Zijn verstand wist dat Evert gelijk had, maar zijn hart wilde vuur, oranje vlammen die langs het hout lekten, het verteerden, eerst tot kool, later tot as.

Evert kwam binnen met twee kleine schaaltjes. 'Een voorgerecht,' zei hij vrolijk. 'Ik hoop dat het smaakt.'

Loet nam het aan en ging in de grote stoel bij de kachel zitten.

'En nu vertel je wat er is,' zei Evert dwingend. 'Erger je je aan de gasten of kun je er niet tegen dat we vanmiddag ons potje jeu-de-boulen verloren hebben.'

Loet moest ondanks zijn sombere stemming lachen. 'Ik kan heus wel tegen mijn verlies, hoor en die gasten? Die vind ik juist gezellig. Iets meer aanspraak en eens wat andere onderwerpen van gesprek.'

'Wat is er dan? Je bent zo in de mineur.'

'Het ouwe liedje. Ik maak me zorgen om Alicia. Ik denk zelfs dat ik terug moet verhuizen naar Nederland, maar dat durf ik je haast niet te zeggen.'

'Ben je gek geworden?' riep Evert uit. 'Je gaat echt niet terug!'

Loet moest glimlachen om Everts felle reactie en hij had daar ook alle begrip voor. Ze konden prima met elkaar overweg en hadden het duidelijk allebei erg naar hun zin, maar hij kon er niet tegen dat Alicia zich steeds meer van hem verwijderde.

'Ik zal je iets vertellen, wat je nog niet weet en waar ik me trouwens behoorlijk voor schaam. Daarom heb ik het nog nooit gezegd. Hans, mijn oudste zoon, is aan de drugs verslaafd geweest. Dat was vreselijk. Ik zal je de details besparen, maar zoiets is een ramp. Vooral toen hij steeds op onverwachte momenten thuiskwam en geld of spullen van ons begon te stelen.'

Loet keek hem geschrokken aan. Dit wist hij echt niet en het leek hem inderdaad verschrikkelijk.

'Het valt niet te vergelijken met jouw probleem, maar er is toch een overeenkomst. Ik heb destijds overal gevraagd wat ik het beste kon doen en zelfs bij de officiële hulpverlening zeiden ze dat ik hem los moest laten en vooral geen geld meer moest lenen, zoals ik toch steeds maar weer deed, omdat ik medelijden met hem had.' Hij zette zijn schaaltje neer en pakte het glas wijn dat er al stond, nam een slok en keek Loet indringend aan. 'Dat is de reden waarom we gescheiden zijn. Mijn vrouw was woest dat ik hem aan zijn lot wilde overlaten en de deur wijzen. Hij woonde al op zichzelf, maar kwam dus steeds weer thuis voor een bezoekje of een nachtje slapen. Altijd alleen maar om geld te ritselen. Ik heb gedaan wat me gezegd werd. Ik gaf hem geen geld meer en zei zelfs dat hij niet meer welkom was. Daarom is mijn vrouw bij me weggegaan. We konden er samen niet uitkomen.' Hij zuchtte en keek naar het vuur in de houtkachel dat zichtbaar hoog oplaaide omdat Loet het deurtje niet gesloten had.

Loet wilde iets zeggen, maar wist niet wat.

'Dat ze wegging, was op zich geen ramp. We waren het eigenlijk nergens over eens en hadden vaak woorden. Ik was er dan ook niet echt rouwig om. Alleen zat ik wel erg met Hans in mijn maag. Hij wist dat er bij Anja weinig te halen was, dus kwam hij telkens bij mij. Ik heb de sloten laten veranderen en zelfs gedaan alsof ik niet thuis was als hij voor de deur stond te roepen en te schreeuwen. De buren hebben eens de politie gebeld omdat hij zo'n herrie stond te trappen. En ik was thuis. Toen hij eindelijk begreep dat hij er niet meer inkwam, is het van kwaad naar erger gegaan. Daar was ik op voorbereid. Dat was me uitvoerig uit de doeken gedaan. En op een dag was het zo erg met hem, dat hij het inzag en hulp is gaan zoeken. Tegenwoordig gaat het geweldig met hem. Hij werkt en heeft een lieve vriendin met wie hij samenwoont. Maar wat eigenlijk de strekking is van dit verhaal: laat Alicia los, ga niet terug naar Nederland. Geef haar de kans volwassen te worden. Die krijgt ze namelijk niet als jij teruggaat. Dan kan ze weer het kind zijn dat zich verbergt bij en achter haar vader.'

Loet keek zijn vriend aan. Er blonk waardering en respect in zijn ogen, maar hij wist nog steeds niet wat hij moest zeggen.

'Smaakt het voorgerecht eigenlijk?' vroeg Evert lachend. Hij pakte zelf het schaaltje ook weer en prikte een garnaal aan zijn vorkje.

'Evert, joh, ik ben helemaal ondersteboven van je verhaal. Je bent altijd zo vrolijk en zo positief ingesteld. Ik had gewoon niet zo'n afschuwelijk verhaal achter je gezocht.'

'Ik zei al: ik loop er niet graag mee te koop. Als vader denk je toch altijd: wat heb ik fout gedaan dat mijn zoon aan de drugs is geraakt. Gelukkig weet ik inmiddels dat het niet aan mij lag. Hans en ik kunnen er tegenwoordig goed over praten. Hij heeft trouwens plannen om met oud en nieuw hierheen te komen. Dat was ik vergeten te zeggen. Hij belde vanmiddag. Misschien dat ik je ook daarom dit verhaal wel vertel. Hij kan wat stilletjes zijn en dan weet je waarom.'

'Met zijn vriendin?'

'Ja, dus één logeerkamer is bezet vanaf 30 december.'

'Ik denk dat het daarbij blijft,' zei Loet. 'Alicia komt echt niet en Liselotte, tja, die heeft pubers in huis en die willen soms niet meer mee met hun ouders.'

Evert lachte en stond op. 'Ik ga even kijken hoe het ervoor staat met het eten in de oven. Denk nog maar eens aan wat ik gezegd heb.'

Na het eten stond Loet op. Het had heerlijk gesmaakt, maar ze hadden weinig gesproken. Loet kon zijn gedachten niet concentreren op iets anders dan op Alicia. 'Ik ga even een blokje rond,' zei hij.

Evert moest lachen. Een blokje rond was bij hen niet groot, want ze konden alleen om hun eigen huis heen lopen. Dat wist Loet wel, maar hij wilde graag even alleen zijn en het liefst in de frisse lucht. Hij trok zijn dikke jas aan, want 's avonds was het al behoorlijk koud. Tot zijn verrassing was het droog en zelfs helder weer. Hij liep naar het einde van de tuin, tot aan het muurtje en tuurde in de verte. Van de Atlantische Oceaan was niets te zien, maar de hemel was vol sterren en dat was een prachtig gezicht. Hij ging op het muurtje zitten en tuurde de duisternis in. Vanuit het gastenverblijf kwam muziek en hoorde hij stemmen. Het was waar, wat hij gezegd had, hij vond het prettig dat er gasten waren. Het was schitterend om hier zo afgelegen te wonen, maar soms wel erg alleen. Met gasten in het huis was dat veel minder en het idee dat er mensen vlakbij waren benauwde hem niet. Hij had immers altijd in de stad gewoond en was het gewend mensen om zich heen te hebben. Ze moesten het er zelfs maar eens echt over hebben of ze geen kamers in huis konden verhuren. Er was niet echt veel meer te doen. Alle kamers waren aangekleed, er hoefden geen meubels meer gekocht en geschilderd te worden. Natuurlijk moest de tuin onderhouden worden en die was groot. Toch kon hij zich wel voorstellen dat hij 's morgens een ontbijt klaarmaakte voor hun gasten en misschien 's middags nog een kop thee.

Hij schrok op uit zijn gedachten omdat zijn mobiele telefoon afging. Verwonderd zag hij dat het Alicia was die hem belde. Zijn hart begon iets sneller te slaan, maar de zorgrimpels op zijn voorhoofd werden dieper. 'Hallo, meisje, wat een verrassing.'

'Hoi, pap. Hoe gaat het?'

'Ik ben juist buiten en geniet van een prachtige sterrenhemel. Zo mooi is die in Eindhoven niet.'

'Ha, dat kan niet waar zijn. Wij hebben dezelfde sterrenhemel als jij.'

'Dat is waar, maar het is hier helderder, omdat er weinig lichten zijn. Het is echt een enorm verschil. Ik zie veel meer sterren dan bij jou.'

'Nou, dat moet ik dan maar eens komen bekijken,' zei ze.

Loets hart sloeg een tel over. Zei ze echt wat hij gehoord had? En meende ze dat dan ook?

'Pap, luister. Ik wilde het even zakelijk houden. Liselotte en Rutger zijn hier met hun kinderen. Ze blijven de hele week. Maar we hebben een plannetje bedacht en we wilden weten wat je daarvan vindt. Nee, dat wou ik niet zeggen. Verkeerde volgorde. Ik bedoel, pap, als ze weer weg zijn en als we weer alleen zijn, dan wil ik je nog een keer bellen of heel misschien stuur ik je wel een mail als het me lukt de woorden op papier te krijgen. In elk geval wil ik je uitleggen waarom ik je niet wilde zien toen je wilde komen. En als je dat weet en geaccepteerd hebt, pap, mogen we dan met zijn allen de kerstdagen bij jou komen vieren?'

Loet wist niet wat hij hoorde. Hij kon het ook niet geloven. Ze zei vast heel iets anders. Het waren zijn eigen gedachten die hij hoorde. Hij was blij dat hij op het muurtje zat, anders was hij beslist omgevallen. Hij voelde hoe zijn knieën knikten en zijn hele lichaam reageerde op deze woorden. Meende ze het echt?

'Pap, ben je er nog?'

'Ja, ja,' haastte hij zich te zeggen. 'De verbinding is nogal slecht. Kun je de laatste zin nog een keer herhalen?'

'Ik vroeg of Liselotte en ik met onze mannen en kinderen de kerstdagen bij jou mogen vieren.'

Ze had het echt gezegd. Hij voelde iets nats op de hand die op zijn bovenbeen lag. Het kon niet anders dan dat hij huilde, want het regende niet. 'Graag,' zei hij, maar hij wist dat ze het niet hoorde. Hij schraapte zijn keel en zei het nogmaals. Nu kwam het wel over.

'Dus dat vind je goed? We zijn dan wel met erg veel, hoor. Past dat?'

'Ik ga het meteen aan Evert vragen. Ik weet dat zijn zoon op 30 december met zijn vriendin komt, maar verder had hij geloof ik geen plannen. Ik bel je straks terug. Goed?'

'Oké, pa en eh ... ik hou van je.'

Hij wilde nog iets terugzeggen, maar dat hoefde niet meer. Ze had de verbinding verbroken. Ik hou van je, ik hou van je. Hij kon opeens wel dansen van geluk. Evert had gelijk gehad. Gewoon loslaten en hopen en afwachten. Hij rende naar het huis, kwam buiten adem binnen, vond Evert in de keuken bij de afwasmachine.

'Wat is er met jou?' Evert keek verbaasd op bij de lawaaierige binnenkomst van zijn vriend.

'Alicia belde net. Ze wil komen. Met Kerst. En Liselotte ook. Met hun gezinnen. Kan dat? Evert? Kan ik alle logeerkamers krijgen? Of is het gastenhuis vrij?'

'Man, wat een geweldig nieuws.' Evert kwam op hem af en sloeg hem op de schouder. 'Joh, dat vind ik echt heerlijk voor je. Ha, had ik je dat verhaal over Hans niet eens hoeven vertellen. Nou ja, het zat me ergens toch dwars dat je dat niet wist.' Hij lachte hem toe. 'Ik ga koffie zetten en we nemen er een lekker cognacje bij. Dit moet gevierd worden.'

'Maar kan het dan? Het zijn vier volwassenen en vijf kinderen.'

'Als ze maar meehelpen. Ik ga niet in mijn eentje voor zoveel man koken.'

'Dat spreekt vanzelf. Mooi. Bel ik haar meteen terug om het te zeggen. Liselotte logeert bij haar. Hoewel ... waar laat ze ze? Zo groot is haar huis niet. Nou ja, dat regelen ze zelf maar. Misschien wel op de bank in de huiskamer.' Hij liep naar boven naar zijn eigen kamer en belde Alicia weer op. 'Het kan, meisje. Het komt prima uit. Jullie kunnen samen de vier logeerkamers krijgen, tot 30 december, maar eh ... we verwachten wel dat jullie meehelpen met koken en zo.'

'Leuk, pap. Neem je ook een kerstboom?'

'Voor jou wel,' zei Loet opgelucht en dankbaar. 'Voor jou neem ik een hele grote!'

Hij hoorde gejuich op de achtergrond. Het was duidelijk dat de anderen er ook zin in hadden. Opeens hoorde hij Sems stem. 'Opa, laat je wat hout voor mij over? Ik wil nog graag eens zagen.'

'Dat doe ik, jongen. Je mag het zelfs wel in de kachel in de brand steken.'

'Tof!'

'Zeg, mag ik tante Alicia nog even?'

'Wat is er, pap?'

'Ik wilde nog maar een ding zeggen: ik houd ook van jou.' Toen was het Loet die snel de verbinding verbrak.

Liselotte en haar gezin hadden na die avond een gezellige week in Eindhoven. Alicia was een en al vrolijkheid en de kinderen konden goed met elkaar overweg. Het was wel vreemd om in het huis van hun ouders rond te lopen, en nog vreemder dat het vol stond met onbekende meubels en spullen, maar het feit dat Liselotte er nu verbleef, hielp Alicia over haar nare gevoel heen. Ze liep soms zelfs zonder nadenken even achterom bij haar zus naar binnen om daar tot de ontdekking te komen dat het haar ouderlijk huis niet was. Maar in plaats van zich naar te voelen, begon ze aan het idee te wennen en merkte ze dat ze afstand van het huis begon te nemen. Haar vader woonde nu in Frankrijk, dát was nu haar ouderlijke huis!

Ze verheugde zich zelfs op het bezoek, want niet alleen miste ze haar vader, ze was ook erg benieuwd naar het huis en de omgeving. Ze had er inmiddels zoveel foto's van gezien en verhalen over gehoord, dat ze het graag zelf eens wilde bekijken. En dat verraste haar zo, dat ze het haar zus vertelde.

Ze gingen samen uit winkelen en de mannen namen de kinderen een avond mee naar de film. Ze hadden echt vakantie en genoten van elkaars aanwezigheid en gezelligheid.

Maar zodra ze weg waren en Alicia de bedden weer verschoond had, ging ze achter de computer zitten om haar vader een brief te schrijven. Ze wist dat ze gemakkelijker praatte dan schreef, maar het leek haar toch beter te schrijven. Dan kon hij het nog eens nakijken en bovendien kon ze dan ook precies dat kwijt, wat ze kwijt wilde. In een gesprek vergat je soms bepaalde dingen of zei je iets wat je nou net niet had willen zeggen.

Het kostte haar twee avonden om de mail klaar te krijgen, om te schrijven over haar woede, verdriet en over haar verwardheid. Daarna wilde ze hem eerst aan André laten zien, maar ze besloot toch om dat niet te doen. Ze zou de mail direct versturen en hem daarna pas laten lezen aan haar man. Anders was het net of ze om Andrés toestemming vroeg en dat wilde ze niet. Ze wilde juist laten zien dat ze dit helemaal alleen kon. Ze merkte dat haar wangen nat waren van ontroering en inspanning en las de mail nog een laatste keer over. Toen drukte ze op de verzendknop en was er niets meer aan te doen.

Ze printte hem uit en ging bij André op de bank zitten, legde het papier op zijn schoot. 'Weet je,' zei ze. 'Eerst hoopte ik op een snel antwoord, maar ik hoef helemaal geen antwoord. Pap zei dat hij van me houdt. Dat was het antwoord al. Hij houdt ook van me als ik raar doe of boos ben of aanstellerig of onaardig. Pap houdt altijd van me.'

André glimlachte en kuste haar. 'Ik ook bijna,' zei hij.

'Bijna?'

'Ja, misschien een beetje minder als je boos bent, maar zelfs dan!' Hij keek haar lachend aan en trok haar naar zich toe. 'We hebben een heerlijke week gehad. Het was erg gezellig met die mensen. Rutger is ook een toffe peer. Maar het belangrijkste is dat jij zo'n andere vrouw bent geworden. Dat is al weken gaande en ik zag het wel, maar deze week viel het extra op en daar ben ik heel blij mee.'

'Behalve de eerste avond dan.'

'Inderdaad, want toen moest ik de pannenkoeken bakken die jij eigenlijk bakken zou.' Hij grijnsde. 'En met Robbie gaat het ook prima. Heb je wel gemerkt dat we haast nooit meer op hem hoeven te mopperen?'

'Dat is zo, ja.' Alicia straalde, maar keek verward op toen ze de telefoon hoorde rinkelen. Het was hun vaste nummer, waarop ze niet kon zien wie er belde. Ze nam op, noemde haar naam en kreeg vervolgens een vuurrood hoofd. 'Dank je,' zei ze zacht. '*Merci!*'

André keek haar verwonderd aan. '*Merci*? Ach, dat was Lucille.'

'Nee, het was pap. Hij zei dat hij mijn mail gelezen had en dat we er wat hem betrof niet meer over hoefden te praten. Alles was goed, vond hij en toen zei hij: "*Je t'aime.*" En al wist ik wel dat hij van me hield, het klonk ongelooflijk lief toen hij het in het Frans zei.' Ze zuchtte en legde haar hoofd op Andrés schouder. 'Ik geloof dat ik eindelijk groot ben.'

18

'Schiet nou op, Robbie. We gaan weg.' Alicia keek zoekend om zich heen. Hadden ze alles? Ze konden niet zomaar even terug als ze wat vergeten hadden. Ze hadden een erg lange rit voor de boeg. Een beetje zag ze er wel tegenop, omdat de kinderen het niet gewend waren, maar aan de andere kant verheugde ze zich zo op het weerzien met haar vader, dat ze voelde dat ze alles van de kinderen zou kunnen verdragen. Het was bijna zeven maanden geleden dat ze hem voor het laatst gezien had. Niet te geloven eigenlijk, want voor die tijd was er geen dag voorbij gegaan dat ze hem niet gezien had!

'Toe, pak je koffertje en je knuffel, Robbie. We gaan.'

'De bloemen moeten ook mee,' riep hij geërgerd uit.

'Jongen, je hebt helemaal gelijk. Hoe kon mamma die vergeten!' Het verraste haar dat hij eraan dacht. Het had haar ook verrast toen hij voorstelde ze te kopen. Een boefje was hij, maar met een hartje van goud! 'Wat zullen we voor opa meenemen?' had ze een poosje geleden aan de kinderen gevraagd. En Robbie had met een beteuterd stemmetje gezegd dat hij van die gele bloemen mee wilde nemen. Narcissen dus. De bloemen die hij kapot geschopt had in opa's tuin. Ze had niet gedacht dat hij zich dat nog herinnerde, laat staan dat hij zich er nog rot door voelde. Maar natuurlijk had ze ze meteen gekocht. Een grote pot met narcissen nog diep in de knop. Ze hoopte dat ze zouden bloeien tijdens Kerst, want Robbie had beteuterd gezegd dat dit niet de bloemen waren die hij bedoelde. En ze had een pak met bollen gekocht, die opa in de tuin kon stoppen. Dan had hij elk jaar bloemen van Robbie om van te genieten. Maar helaas begreep de kleine jongen dat ook niet goed. Het pak zat al in de auto, maar de pot stond nog op tafel. Snel liep ze erop af en tilde hem op. Ze zou de pot tussen haar voeten zetten, zodat er niets mee kon gebeuren. Tot haar grote verrassing zag ze in een van de knoppen iets geels tevoorschijn komen. 'Kijk, Robbie,' riep ze opgetogen, 'ze gaan bloeien. Zie je wel dat het gele bloemen zijn?' Robbie was minstens zo opgetogen en hij haalde opgelucht adem dat het inderdaad de juiste bloemen bleken te zijn. Snel greep hij zijn koffertje en knuffel en rende naar buiten, waar André op hem stond te wachten. Else en Nina zaten al achter in de auto, keurig vastgegespt.

Met enige moeite kroop Robbie over Nina heen om in het midden te gaan zitten. André hielp hem de riem vast te maken. 'Hebben we alles?'

'Ja, nu wel,' zei Alicia lachend. 'We kunnen.' Ze wierp een blik op haar horloge. Geweldig, vijf minuten voor tijd zaten ze klaar om te vertrekken. Ze ging voorin zitten en keek achterom. 'Vinden jullie het ook spannend?'

'Gaan we echt ook naar België?' vroeg Else, die laatst op school geleerd had waar Nederland lag en welke landen eromheen lagen.

'Echt waar,' lachte Alicia. 'Eerst moeten we door België en dan komen we in Frankrijk. Weet je de hoofdstad van België al?'

Else schudde haar hoofd.

'Brussel,' zei Alicia, 'en vlak voordat we bij Brussel zijn, stoppen we. Tante Lies zegt dat daar een wegrestaurant is. Daar gaan we koffie drinken en zien we tante Lies ook.'

'En Minke?'

'Ja, Minke en Sem en oom Rutger ook.'

'Mag ik een snoepje?' vroeg Nina.

Alicia schoot in de lach. 'Nu al? We zijn Eindhoven nog niet eens uit.'

'Ik wil ook een snoepje,' riep Robbie.

'Oké dan.'

André keek verwonderd opzij. Alicia zat wel erg goed in haar vel vandaag. Normaal was ze erop tegen dat de kinderen veel snoepten, maar nu kon blijkbaar alles. Hij keek nog verbaasder toen hij zag dat ze een grote trommel onder haar stoel vandaan haalde en het deksel er aftrok. 'Meid, waar denk je eigenlijk dat Nantes ligt? We gaan geen wereldreis maken.'

'Voor de kinderen is het wel een wereldreis,' zei ze verklarend. Ze duwde de trommel naar achteren. 'Eén snoepje, hoor, meer niet. We moeten er de hele dag mee doen en ze zijn ook voor de terugreis.'

'Mag ik dan een lolly pakken?' vroeg Nina, die meteen het grootste stuk snoep uit de trommel greep.

Alicia glimlachte en pakte de kaart van Nederland uit het zijvak van de auto. Ze vouwde hem open op haar schoot om de route te volgen die ze reden. Ze zuchtte, maar het was duidelijk een zucht van genot. 'Ik weet natuurlijk nog niet hoe ik er vanavond over denk,' zei ze tegen André. 'Ik bedoel: hoe gaat het de hele dag achterin, maar eigenlijk snap ik toch niet dat we dit niet eerder gedaan hebben. Dus ik ben vreselijk blij dat het eindelijk gaat gebeuren.'

André glimlachte, maar zei niets. Hij had immers meteen al grote reizen met de kinderen willen maken. Voordat Else er was, waren Alicia en hij naar Spanje gereden, het land waar zij als kind altijd haar vakanties had doorgebracht. Hij vond dat dat met een baby ook prima moest kunnen en hij vond dat kinderen dat beter zo vroeg mogelijk konden leren, zodat ze later niet beter wisten dan dat je lang moest rijden op een vakantie, maar Alicia had daar meteen een stokje voor gestoken. En op zo'n manier dat hij het nooit meer ter sprake had gebracht. En zo was het vaker voorgekomen dat hij haar haar zin gaf. Met tegenzin soms, maar als hij dat niet deed, was er met Alicia geen land meer te bezeilen. Hij wist dat en accepteerde dat. Ondanks haar verwende buien, zoals hij ze in stilte altijd genoemd had, hield hij vreselijk veel van haar en hij bleef liever in Nederland waar ze het meestal heel fijn hadden, dan dat hij haar dwong mee te gaan naar een ver land, waar zij de sfeer zeker zou verpesten.

Pantoffelheld, hadden zijn collega's weleens gezegd. Zij gingen wel ver weg op vakantie en ergens hadden ze gelijk. Hij kwam amper in verweer als Alicia iets dwarsboomde wat hij wilde, zoals dat hij van basketbal af moest, omdat ze 's avonds niet meer alleen wilde zijn, want ze hadden nu een kind. Maar altijd nog liever een pantoffelheld zijn dan ruzie hebben met Alicia. Ze was soms lastig geweest, maar hij had haar nooit kwijt gewild, voor geen goud.

Hij keek met een liefdevolle blik opzij en ontmoette de hare. Ook zij keek hem warm aan. Even legde hij zijn hand op de hare. 'Ik houd van je,' zei hij zacht.

Ze tilde zijn hand op en drukte er een kus op, maar duwde toen snel zijn hand weg. Hij glimlachte. Hij wist dat ze vond dat hij het stuur met twee handen vast moest houden. Maar verder was ze zo veranderd. Af en toe herkende hij haar echt niet meer. Hij vond het echter heerlijk zoals ze anders geworden was. Vooral veel zelfstandiger en minder afhankelijk. Dat betekende aan de ene kant dat ze hem minder hard nodig had dan voor die tijd, aan de andere kant dat ze volwassener geworden was en eindelijk, al mocht hij dat misschien niet denken, een gelijkwaardige partner geworden was. Natuurlijk had hij altijd van haar gehouden als vrouw, maar soms was ze nog echt een kind geweest. Dat kon vertederend zijn, maar ook weleens moeilijk. Nu was ze op en top vrouw geworden. Het kinderlijke en vertederende was weg, maar ook het zeurderige, klagerige. Geen verongelijkt gezicht meer als iets niet zo liep als zij wilde, nee, rust en ontspanning las hij vaak in haar blik. Ze was niet meer het kindvrouwtje, ze was uitgegroeid tot een prachtige vrouw.

'Waar ben je met je gedachten?' Alicia stootte hem aan.

Hij keek verward op.

'Nina heeft al drie keer wat tegen je gezegd,' zei ze.

'Echt?' Hij wierp een blik in het achteruitkijkspiegeltje.

'Sorry, meisje, wat is er?'

'Je moet stoppen, want ik moet plassen.' Ze wipte op en neer op de bank.

'Kan je het nog even ophouden?'

'Nee!' gilde ze. 'Ik moet al de hele tijd!'

'Ik stop meteen als het kan. Nou, dat is boffen. Zie je die grote P daar op dat bord? Dat is de P van Plassen. Die hebben ze daar speciaal voor jou neergezet. Goed, hè?'

Nina zette grote ogen op, maar hield acuut op met wippen.

'En als je klaar bent, hoeven we niet ver meer te rijden voordat we bij het restaurant zijn, waar tante Lies op ons wacht.'

Het werd een vreugdevol weerzien op de parkeerplaats voor het restaurant. Else en Nina waren gek op Minke, die toch best een stukje ouder was, maar het was duidelijk dat het wederzijds was. Sem stond er wat verlegen bij, maar ergens was te zien dat hij het ook leuk vond zijn nichtjes weer te zien, alleen wist hij niet zo goed hoe je dat als puberende jongen liet merken. Robbie liep van de een naar de ander en had het alsmaar over zijn gele bloemen voor opa.

Alicia en Liselotte omhelsden elkaar hartelijk en zelfs André en Rutger sloegen even de armen om elkaar heen.

'En toen was er koffie,' zei Liselotte opgewekt.

Het werd een wat onrustige pauze, want de kinderen renden heen en weer in het restaurant, duidelijk blij dat ze hun benen even konden strekken. Zelfs Sem rende, samen met Robbie, achter de meisjes aan. Het was er verder vrij rustig, dus ze lieten ze maar.

Daarna vertrokken de beide auto's achter elkaar, maar met gemengde lading. Else en Nina waren achterin bij Minke gekropen en Sem zat naast Robbie.

Ze hadden afgesproken dat ze over een uur of twee weer zouden pauzeren. En later op de dag nog eens.

Op een gegeven moment zag Alicia een bord met Parijs erop. 'Dat is waar ook,' schoot het haar te binnen. 'In het voorjaar gaan we met alle cursisten een weekend naar Parijs om ons Frans te oefenen.'

Na ruim zeven uur rijden en in totaal drie pauzes begon Robbie er toch wel genoeg van te krijgen. Hij had geen zin om weer in te stappen voor het laatste stuk. Maar Sem gaf hem zijn mp3-speler en drukte hem de luidsprekertjes in de oren. Hij was op slag rustig. 'Ik vind het leuker om naar buiten te kijken,' zei hij. 'Het kan nu nog net. Als we bij opa zijn, zal het wel helemaal donker zijn.'

Daar had hij gelijk in. Alicia had er wel op gerekend, al had ze dat ook erg jammer gevonden, want dan kon ze eigenlijk de volgende dag pas zien hoe haar vader woonde, maar de verrassing was groot toen Sem riep dat ze er waren. Alicia keek haar ogen uit, want het was net een sprookje wat ze zag.

'Blijf even stilstaan,' zei ze overweldigd tegen André, die meteen op de rem trapte.

'Woont opa daar?' gilde Robbie.

'Cool, hé!' riep Sem uit, die ook onder de indruk was.

Alicia's ogen schoten vol. 'Wat hebben ze het mooi gemaakt!' Ze opende het portier en stapte uit om beter te kunnen kijken. Van het huis was niet veel te zien in de duisternis, maar de omlijning van het grote huis des te duidelijker. Langs alle randen waren kleine lichtjes aangebracht. Boven op het huis stond een stralende ster. In de tuin waren verschillende bomen versierd met lampjes. En zag ze het goed? Stond er ook een stal in de tuin? Buiten was het doodstil. Ze hoorde geen auto rijden. Ook Rutger, die wel door het hek het erf op was gereden, had nu zijn motor uitgezet. Het was adembenemend, zo mooi!

Robbie begon te gillen. Hij wilde er ook uit, maar André zei dat hij nog heel even moest wachten.

'Opa, ik zie opa!' riep hij luidkeels. Alicia zag dat hij gelijk had.

De grote deur ging open en er verscheen een donkere gedaante in het licht van de deuropening. 'Pap,' fluisterde ze. 'Pap!' herhaalde ze harder. Ze vergat de auto en de anderen, maar begon te rennen. Door het hek, het pad op, langs de auto met Liselotte en haar gezin. Steeds dichterbij kwam ze en steeds duidelijker zag ze haar vader. Eindelijk weer, na al die maanden. Even flitste het door haar heen dat hij er witter uitzag dan ze zich herinnerde, maar dat zijn passen energieker waren dan ooit. Toen lag ze in zijn armen. 'Pap, o, pap.' Ze snikte het uit, maar Loet kon horen dat het geen snikken van verdriet waren. 'Meisje,' mompelde hij in haar haren terwijl hij haar stevig tegen zich aandrukte. 'Mijn meisje. Wat heerlijk om je weer te zien.'

Ze hief haar hoofd op en keek hem in de ogen en er ging een vreemde gewaarwording door haar heen. Ze had zo geprotesteerd tegen zijn verhuizing, ze had er alles aan gedaan om niet naar Frankrijk te reizen, maar nu ze hem eindelijk weer van dichtbij zag, zijn armen om haar heen voelde, door de duisternis en stilte van een vreemd land omringd werd, wist ze opeens dat ze thuisgekomen was. Haar moeder was er niet meer en die zou nooit terugkomen ook. Het ouderlijk huis drie huizen verderop in haar straat was daardoor allang niet meer haar ouderlijk huis, maar ze had haar vader nog en die had hier een thuis gebouwd, waar zij duidelijk ook heel erg welkom was. 'Pap, het spijt me zo,' zei ze zacht.

'Het spijt mij ook dat ik het je zo moeilijk gemaakt heb,' zei Loet.

Ze knikte aarzelend, glimlachte naar hem en zei: 'Maar waarschijnlijk was het het beste wat je had kunnen doen. Voor jezelf én voor mij.'

Loet kreeg een brok in de keel bij het horen van die woorden. Hij drukte haar nog even dicht tegen zich aan, maar moest haar toen wel loslaten, omdat Liselotte en de kleinkinderen op hem afkwamen rennen.

Het werden fantastische dagen.

Alicia durfde het haast niet toe te geven, maar eigenlijk had ze nog nooit zulke fijne kerstdagen gehad. Voor een deel lag dat aan het schitterende, grote huis, waar iedereen ruimte genoeg had en ze elkaar nauwelijks voor de voeten liepen, zoals op andere kerstdagen, wanneer ze met zijn allen bij haar ouders thuis waren. En voor een deel lag het aan het feit dat ze nauwelijks aan haar moeder dacht. Hoewel ze van tevoren verwacht had haar erg te zullen missen, gebeurde dat niet. Dat kwam natuurlijk omdat alles anders was en omdat haar moeder niet bij dit huis hoorde. Er lagen hier geen herinneringen aan haar. Er hing alleen een grote foto van haar in de woonkamer van haar vader.

Ook Evert zorgde ervoor dat alles anders was. Af en toe moest Alicia erg lachen om die twee grote mannen die samen in de keuken bezig waren met een ontbijt voor het hele stel of om de kleinkinderen tevreden te houden met een glaasje fris en wat lekkers.

Natuurlijk hielpen Liselotte en Alicia ook mee met koken en hielden ze hun eigen kamers op orde, maar Evert en haar vader waren vooral degenen die de handen uit hun mouwen staken. 'Kunnen we vast oefenen voor als we de kamers in huis gaan verhuren,' zei Evert opgewekt.

Sem ontfermde zich vanaf de eerste minuut over de houtkachel, waar hij bijna een dagtaak aan had. Hij struinde de tuin af op afgevallen takken en zaagde te grote takken in kleinere stukken. Hij zorgde ervoor dat de grote mand naast de kachel voortdurend gevuld was met kleine en grote stukken hout en telkens als het vuur kleiner dreigde te worden, vulde hij de kachel weer. In de grote woonkamer stond een prachtige kerstboom, die schitterend versierd was. Alicia had er verbaasd naar gekeken, want haar vader had nog nooit een kerstboom versierd. Loet had eerlijk toegegeven dat hij deze ook niet had versierd. Alle lampjes, zowel binnen als buiten, waren door Evert aangebracht. Die had er veel meer kijk op dan hij.

Robbie was meer buiten dan binnen, omdat er in de tuin een enorme zandbak was aangelegd. Hoewel het koud was, genoot hij ervan om daar ongestoord kastelen te bouwen en gangen te graven. Bovendien had opa een aantal planken voor hem klaargelegd, waarmee hij probeerde een hut te bouwen. Else, Nina en Minke waren voornamelijk binnen. Die hielden niet zo van de kou. Opa was erop voorbereid en had een paar tekenfilms gehaald bij de videotheek en stapels kleur- en leesboeken.

Liselotte en Rutger, die immers de weg al wisten, lieten Alicia en André het dichtstbijzijnde dorp zien en ook de plek waar Loet en Evert elke week gingen jeu-de-boulen. Tevens reden ze naar de Atlantische Oceaan, waar Liselotte en Minke heel wat keren gezwommen hadden die zomer. 'Je moet hier echt 's zomers ook eens naartoe gaan,' zei Liselotte. 'Dan is het hier prachtig.'

'Dat is het nu al,' vond Alicia.

Op 24 december, kerstavond, gingen ze met zijn allen naar de nachtmis. Vroeger hadden ze dat ook altijd gedaan, maar de laatste jaren was die gewoonte wat in het slop geraakt. In Frankrijk echter was het de normaalste zaak van de wereld en ze sloten zich graag bij die traditie aan. De meeste mensen gingen lopend, maar daarvoor was het dorp te ver weg. Om toch niet helemaal uit de toon te vallen, parkeerden ze hun auto's aan de rand van het dorp en liepen ze de laatste kilometer naar de kerk.

Robbie viel midden onder de dienst in slaap en ook Nina had moeite haar ogen open te houden. Na afloop bleven de kerkgangers buiten voor de grote deuren staan en schudde iedereen iedereen de hand.

'*Bon noël,*' zeiden ze allemaal tegen elkaar.

'Wat zeggen ze toch?' vroeg Else verbaasd.

Alicia lachte. 'Ze zeggen: "Fijne kerstdagen". Probeer het ook maar eens: *Bon noël.*'

Veel mensen kwamen op Loet en Evert af en vroegen wie ze bij zich hadden. Loet stelde zijn familie aan hen voor. Het was duidelijk dat hij hier al veel mensen kende en Alicia voelde zich trots dat de mensen haar vader duidelijk mochten en in hun kring hadden opgenomen. 'Pap hoort er helemaal bij,' zei ze tegen Liselotte.

Liselotte knikte. 'Ja, ze hebben hem echt opgenomen als een van hen. Leuk om te zien, hoor!'

'Kijk, Alicia, dit is Jacques.' Loet stelde haar een oudere man voor. 'Onze beste jeu-de-bouler.'

'Jacques,' zei Alicia lachend. *'Je travaille chez quelqu'un qui s'appelle Jacques.'*

De oudere man keek haar verbaasd aan. *'Elle parle français.'*

'Oui,' zei Loet stralend, *'ma fille parle français!* En haar werkgever heet inderdaad ook Jacques.'

Alicia grinnikte.

'Wat is er?' vroeg Loet nieuwsgierig.

'Ach, pap, je moest eens weten. Ik ben zo stom geweest.' Ze lachte hem toe. 'Ik dacht dat ik op Franse les ging omdat ik er eens uit wilde en natuurlijk was dat ook zo, maar als Lucille Russisch of Portugees gedaan had, was ik echt niet met haar meegegaan.'

'Wat is daar voor stoms aan?' Hij keek haar vragend aan.

'Omdat ik mezelf voorhield dat ik het deed om er eens uit te zijn, maar ik deed het eigenlijk al die tijd al omdat ik hierheen wilde. Dat wou ik alleen niet aan mezelf toegeven.'

'Meisje toch.' Loet glimlachte.

Nadat ze iedereen goede kerstdagen gewenst hadden, liepen ze weer terug naar hun auto's.

Alicia liep op haar vader af. 'Pap, vind je het heel erg om lopend terug te gaan?'

'Samen met jou?'

Ze knikte.

'Dat doe ik graag.'

Terwijl de anderen instapten, stak Alicia haar arm door die van haar vader en zette ze vast de pas erin. Al snel werden ze door de auto's gepasseerd. Even verdwenen de achterlichten uit beeld, maar het duurde niet lang of ze zagen een eindje verderop de koplampen omhoog kruipen. Als je goed keek kon je de lichtjes van Loets huis zien.

Zwijgend stapten ze door, maar op een gegeven moment keek Alicia opzij. 'Pap,' zei ze warm, terwijl ze zijn arm een kneepje gaf, 'ik voel me echt zo stom. Ik heb me zo als een klein kind gedragen. Het spijt me nog steeds.'

'Lieverd, hou daar nou mee op, want jij kunt er niets aan doen. Ik ben degene die spijt moet hebben en dat heb ik ook, maar spijt komt altijd als mosterd na de maaltijd. Ik had in moeten grijpen toen ik ontdekte dat mamma je verwende en je altijd de hand boven het hoofd hield, maar ik was niet in staat om tegen haar in te gaan. Ik hield te veel van haar en wilde geen ruzie. Ik gaf haar graag haar zin. Dat heb ik altijd gedaan en dat bleef ik doen. Ze genoot ook zo van jou en vond het heerlijk dat je een moederskindje was. Maar ik had in moeten zien dat dat niet de beste manier van opvoeden was. En toen ging ik ook nog eens weg. Ik dacht dat ik het recht had iets te doen wat ik leuk vond. Ik zei tegen mezelf: Loet, je hebt de kinderen grootgebracht, nu ben jij weer aan de beurt. Maar dat was niet zo. Ik heb jou nooit groot gebracht. Ik liet je dus behoorlijk in de steek door naar Frankrijk te vertrekken. Toen ik dat doorhad heb ik tegen Evert gezegd dat ik weer terug wilde naar Nederland.'

'Pap, nee toch?'

'Ja, meisje. Ik vond het zo erg wat ik je aandeed. Ik genoot hier en was hier meer in mijn element dan ooit, maar het deed me zo'n pijn dat het met jou niet goed ging. En uitgerekend toen belde je op om te vragen of je met Kerst komen kon.'

'Toen ik hier aankwam zei ik al dat naar Frankrijk verhuizen het beste was wat je had kunnen doen. Ook voor mij. En, pap, dat meen ik. Als je niet weg was gegaan, was ik nooit volwassen geworden. Ik ben zo anders tegenwoordig. Ik voel me zo anders en ik heb veel meer plezier in mijn leven. Zelfs ...' Ze aarzelde even, maar zei het toch: 'Zelfs meer dan toen mamma nog leefde.'

'Alicia,' zei hij ontroerd en met verstikte stem.

Ze zuchtte. 'Toen mamma er nog was, liep ik voor elk wissewasje naar haar toe. Altijd vroeg ik haar om raad. Vaak was ik bang dat ik iets niet goed deed. Zij was immers mijn moeder en wist alles het beste. Nu doe ik de dingen zoals ik denk dat ze goed zijn en dat voelt veel fijner, beter, prettiger. Ik vind het erg om te zeggen, maar ik voel me eindelijk bevrijd.'

Loet zei niets, want wat moest hij daar nu op zeggen zonder Alicia of Paula af te vallen.

'Ik mis mamma nog vaak genoeg, maar tegenwoordig op een andere manier. Ik zou haar graag nog van alles willen vertellen, maar niet meer vragen, zoals eerst. Ik wilde dat ze kon zien hoe goed ik het nu doe, hoe goed ik met Robbie omga en ik zou ook wel willen dat ze me kon zien als ik ga stappen met Lucille. Om te vertellen, om haar de kans te geven mee te genieten van waar ik van geniet. Niet meer om uit te huilen of om raad te vragen.'

'Mijn kleine meisje toch,' zei Loet, maar hij herstelde zich en zei lachend: 'Mijn grote meid. Alicia, het is echt heerlijk om je zo te horen. Ik voel dat je gelukkig bent en dat maakt mij ook gelukkig.'

Alicia glimlachte in het donker, maar bleef opeens staan. 'Kijk, pap, jouw huis. Het is net een sprookje. Jij hebt je droom duidelijk waargemaakt. Je jeugddroom. Ik had niet zozeer een jeugddroom, maar droomde er wel altijd van om gelukkig te worden. Dat is ook eindelijk uitgekomen.'

Ze keerde zich naar hem en drukte een kus op zijn wang. 'Wat ben je koud. Zullen we het laatste stukje rennen?'

Buiten adem kwamen ze bij de grote voordeur aan. Loet stak zijn hand uit naar de klink, maar Alicia hield hem tegen. 'Hoor je dat?' Ze legde haar oor tegen de deur en Loet volgde haar voorbeeld. Ze hoorden kerstliederen vanaf de cd-speler, maar ze hoorden ook kinderstemmen die meezongen. 'We zijn allemaal gelukkig,' zei ze zacht.

Loet duwde de zware deur open en ze werden overweldigd door de warmte van de houtkachel die Sem flink aan het opstoken was, maar vooral door de warme sfeer die in de kamer hing door de kerstboom met kaarsjes, de lachende en vrolijke gezichten van de mannen, Liselotte, en de kinderen, van de heerlijke hapjes die op de tafel stonden uitgestald.

'*Bon noël*,' riep Else toen ze hen zag.

'*Bon noël*,' antwoordden Loet en Alicia in koor.

Nog één keer kneep ze haar vader in de arm. Ze keek hem aan en zei: 'Bedankt, pap, dat je ons een nieuw ouderlijk huis gegeven hebt. Een huis waarin ik me meer welkom voel dan ooit.' Daarna haastte ze zich naar André en sloeg haar armen om hem heen. 'Bedankt, schat, dat je bent zoals je bent en me de ruimte gegeven hebt te groeien. Ik hou van je.'

Liselotte kwam glimlachend op haar af met een doosje lucifers in haar hand. 'Zusje, ik heb moeders foto van boven gehaald en daar op dat tafeltje gezet. Wil jij het kaarsje ervoor aansteken?'

Met tranen in haar ogen deed Alicia wat Liselotte haar vroeg. Even keek ze in stilte naar de foto, toen fluisterde ze: 'Bedankt, mamma, voor alle liefde die ik van je gekregen heb. Misschien was het soms te veel, maar ik weet dat je het allemaal met je hart gegeven hebt. Je hield van me en ik houd van jou.'